Joanna Olech

DYNASTIA MIZIOŁKÓW

LITERATURA

Joanna Olech
Dynastia Miziołków

ILUSTRACJE:

Joanna Olech

OPRACOWANIE GRAFICZNE:

Michał Pawłowski / kreska i kropka

KOREKTA:

Lidia Kowalczyk, Joanna Pijewska

Rycina na stronie 105
– autorstwa Władysława Barwickiego.

Wydanie XXI (poprawione)

ISBN 978-83-7672-279-5

Wydawnictwo Literatura, Łódź 2017
91-334 Łódź, ul. Srebrna 41
handlowy@wyd-literatura.com.pl
tel. (42) 630-23-81
www.wyd-literatura.com.pl

MIZIOŁEK – to ja. To idiotyczne przezwisko przylgnęło do mnie we wczesnym dzieciństwie. Nie miałem jeszcze dwóch lat, kiedy wyklepałem przed zdumioną rodziną pierwszą rymowaną wyliczankę: „Aniołek, MIZIOŁEK, róża, bez, konwalia, balia, wściekły pies...". Fiołek... miziołek... – wtedy wydawało mi się, że to żadna różnica... Nikt mnie w domu nie nazywa inaczej. Czasem myślę, że starzy musieliby zajrzeć do metryki, żeby przypomnieć sobie, jak mi dali naprawdę na imię!

MAMISZON Są takie dni, kiedy wydaje mi się, że to mama ma dwanaście lat, a ja trzydzieści z hakiem. Jak gra z nami w Czarnego Piotrusia, to zagląda w karty i kantuje. Gotuje jak nieudolny dwunastolatek – to pewne! Płacze w kinie. Gubi rękawiczki. Poza tym czyta ciągle od nowa *Chatkę Puchatka*. Czasami wołałbym, żeby mama była bardziej przytomna. Ostatnio wylali ją z komitetu rodzicielskiego, bo w obecności całego grona nazwała naszego dyra

„śledziowym łebkiem". Dam głowę, że Mamiszon nadal zastanawia się, kim zostanie, kiedy dorośnie.

PAPISZON

– ukochany zięć mojej babci. Maniak techniki komputerowej. Łakomczuch.

Wiele lat temu mama poprosiła o rękę pewnego faceta. Kupiła bukiet i – trach! – oświadczyła się.

– Ślub w maju – powiedziała. – Cieszysz się?

Narzeczony nazywał się Grześ, studiował matematykę i był potwornie roztargniony. Pewnie dlatego zgodził się, zanim zrozumiał, w co się pakuje.

Nie minął rok, a już został Papiszonem. Przez chwilę my, mężczyźni, mieliśmy w domu liczebną przewagę nad Mamiszonem, który wbrew pozorom jest kobietą. Ta sytuacja była dla mamy nie do zniesienia, toteż po namyśle urodziła jeszcze dwie dziewczynki i tym samym położyła kres męskiej dominacji w naszym domu.

KASZYDŁO

– młodsza siostra, czyli diabelski wynalazek.

Lat cztery i trochę. Kłamczucha i skarżypyta. Kiedy nie śpi, przebiera się za królewnę albo grzebie w moich szufladach. Inteligencja jak u strunowca – wstyd powiedzieć – wierzy w Świętego Mikołaja!

MAŁY POTWÓR – samiczka gatunku *homo sapiens*. Trojga imion: Anna Klementyna Natalia. Jesienią skończyła rok. Pierwszą świeczkę na urodzinowym torcie najpierw zdmuchnęła, potem zjadła. Ma siedem zębów i nie zawaha się ich użyć. Dowody?... Ślady mleczaków na meblach. W celach taktycznych udaje głupszą, niż jest w rzeczywistości – leje w majtki, pije z butelki i odmawia mówienia w ludzkim narzeczu, a wszystko po to, żeby utrzymać posadę Ukochanego Dzidziusia Mamusi.

WTOREK, 1.04
GRAŻYNY, ZBIGNIEWA, PRIMA APRILIS

Przykro mi to mówić, ale zauważam u moich starych pierwsze objawy spierniczenia. Zawodzi ich poczucie humoru. Nie śmieszą ich moje kapitalne dowcipy.

Wczoraj przestawiłem wszystkie domowe zegary. Budzik nie zadzwonił i mogliśmy wreszcie pospać dłużej, jupiiii! No, ale rodzice nie znają się na żartach. O ósmej Papiszon zerwał się z łóżka na równe nogi i w pośpiechu próbował naciągnąć dżinsy na piżamę. Nic z tego – wyloty nogawek zaszyłem porządnie podwójną fastrygą. Mały Potwór krzyczał: „Pima pilis!", ale starzy nie byli rozbawieni. Tata kicał na jednej nodze i używał brzydkich wyrazów, a Mamiszon zrobił tę swoją słynną minę, która nie wróży nic dobrego. I rzeczywiście – kiedy mama odkryła, że napełniłem cukiernicę solą – opuściło ją poczucie humoru i przylała mi ścierką.

Do szkoły dotarłem na trzecią lekcję. Pani Barszcz zignorowała prima aprilis i wpisała mi nieusprawiedliwioną nieobecność. Obawiam się, że pani Barszcz kompletnie nie ma poczucia humoru – nie śmiała się wcale, siadając na podłożonym przeze mnie serku topionym.

ŚRODA, 2.04
FRANCISZKA, URBANA

Stanowczo odmówiłem pójścia do szkoły. Wszystko przez mamę. Akurat przyszedł Kuczmierowski, żeby pożyczyć wentyl do roweru, kiedy do pokoju wkroczyła mama i nazwała mnie Miziołkiem. Powiedziała ni mniej, ni więcej, tylko: „Miziołku, nie zapomnij, że masz dzisiaj angielski...". Kuczmierowski mało się nie udusił ze śmiechu, zaczął chrząkać, zabrał wentyl i wybiegł bez pożegnania. Jak go znam, to zwierzę rozgada kolesiom, a jutro cała szkoła będzie wołać za mną: „Miziołku, nie zapomnij, że masz dzisiaj angielski...".

O rany, ten Mamiszon to czasem strasznie tępy. Jak mogła mi narobić takiego obciachu! Mamiszon się tłumaczy, że przez całe życie tak mnie nazywa! No dobra, ale Kuczmierowski nie musi o tym wiedzieć!

CZWARTEK, 3.04
PANKRACEGO, RYSZARDA

Starzy doprowadzili mnie do szkoły pod eskortą. Kuczmierowski nie przyszedł, bo ma anginę ropną. Niech żyje angina ropna!

PIĄTEK, 4.04
BENEDYKTA, IZYDORA

Pała z zachowania.

Fifa przyniósł dziś do szkoły swojego białego szczura. Nazywa się Gutek. Jest bardzo inteligentny (Gutek, nie Fifa). Aportuje kawałki sera i zjada je dopiero za pozwoleniem.

Na matmie, kiedy pani Barszcz pisała na tablicy, umoczyliśmy mu łapki w poduszce do stempli, nasączonej zielonym tuszem. Gutek ucieszył się, kiedy go wypuściliśmy na biurko pani Barszcz! Trzeba było widzieć jej minę, kiedy zobaczyła BIAŁEGO szczura z CZERWONYMI oczami, który gania po otwartym dzienniku, zostawiając ZIELONE ślady łapek!

SOBOTA, 5.04
IRENY, WINCENTEGO

Mamiszon już dawno nie miał żadnego ze swoich słynnych napadów rozrzutności, które zdarzają się, ilekroć tata dostaje premię. Może dlatego, że dawno nie było premii. Jeśli się w porę rozpozna ten stan u mamy, można ją naciągnąć na różne pożyteczne rzeczy – na przykład kapslownicę, krawat na gumce, sztuczną brodę albo gadającą popielniczkę.

Na co dzień mama jest straszną chytruską. Nie pozwala zjeść naraz więcej niż jeden torcik wedlowski i żałuje nam coca-coli, posługując się kłamliwym argumentem, że cola rozpuszcza zęby. Szczęśliwie czasami Mamiszon odpuszcza i wtedy idziemy na wielkie zakupy. Tata mówi wówczas, że „rozum jej odjęło". Na razie rozum Mamiszona jest na swoim miejscu, co mi się wcale nie podoba. Zapytałem, czy dostanę nowy rower. Gdyby „milczenie było znakiem zgody", jak mawiali starożytni Rzymianie, mógłbym już się cieszyć.

NIEDZIELA, 6.04
CELESTYNY, WILHELMA

Mama podparła drzwi do kuchni krzesłem i nie wpuszcza nikogo. Postanowiła nie kupować ciast w cukierni – piecze sama! Pierwsza próba zakończyła się klapą. Na parapecie studzi się nieforemny gniot z dziurą w środku. Mama polała go obficie lukrem i twierdzi, że to drożdżowa babka. Niemożliwe! Widywałem drożdżowe babki, wyglądały zupełnie inaczej – nie były CZARNE!

Mały Potwór wypił waniliowy aromat do ciast. Odbija mu się prostacko, ale aromatycznie.

PONIEDZIAŁEK, 7.04
KAZIMIERZA, WINCENTEGO

Po lekcjach poszliśmy z Piromanem do Fify, żeby pogapić się na Gutka. Szczury to podobno inteligentne zwierzęta, ale Gutek ma dziwne hobby – wykrada pety z popielniczek. Kiedy go zostawiamy samego w pokoju, on – hyc! – na stół i już się dobiera do pecików. Obserwujemy go w lustrze, bo łatwo go spłoszyć. Wchodzimy do pokoju... Gutek udaje głupiego. Gładzi sobie ogonek jak gdyby nigdy nic. Co on z tymi petami robi? Zjada? Zanosi je do szafki pod zlewem i tu trop się urywa.

Zauważyłem, że Fifa ma w szufladzie zdjęcie Beaty. Całkiem mu odbiło?!

WTOREK, 8.04
DIONIZEGO, JANUAREGO

Przyleciał Fifa w panice, że jego szczur, Gutek, zachorował.

Gutek zwykle wykradał z popielniczek pety, ale tym razem się naciął, bo trafił na niedopałek cygara po wujku Fify. No i cygaro Gutkowi zaszkodziło. Wlazł do srebrnej patery na regale, nie je, nie pije, wygląda marnie. Kuczmierowski, który akurat był u mnie, zaproponował, że jak już Gutek wykituje, to on mu zrobi sekcję zwłok. Fifa wściekł się i miał ochotę zrobić Kuczmierowskiemu sekcję, choćby natychmiast.

Zapakowaliśmy Gutka do futrzanej czapki i zawieźliśmy do weterynarza. Psy i koty, które czekały w poczekalni, były bardzo zainteresowane szczurem. Właściciele jakoś się od nas odsuwali. Rasiści!

Weterynarz odtruł Gutka, przepisał dietę, no i postawił warunek: Gutek musi zerwać z nałogiem – koniec z petami!

ŚRODA, 9.04
MARII, DYMITRA

Rozmiękczyłem serce mamy, pomagając przy zmywaniu, po czym po raz drugi zapytałem o rower. No i zaczęło się! Mama okropnie się zezłościła. Mamrotała pod nosem, że nie jesteśmy Rockefellerami (jakbym tego nie wiedział), że rower nie jest artykułem pierwszej potrzeby (tutaj się nie zgodzę) i że oczywiście nie pomyślałem, co będzie, jak Papiszona zredukują (fakt, nie pomyślałem, może dlatego, że nie mam pojęcia, jak się redukuje Papiszona). Kobiety są okropnie gadatliwe. Mamie bardzo dużo czasu zajęło powiedzenie mi, że nie dostanę roweru, jakby nie wystarczyło zwykłe NIE.

Przyszedł Papiszon. Przyjrzałem mu się – nie wygląda na zredukowanego, niczego mu nie brakuje!

CZWARTEK, 10.04
MICHAŁA, MAKAREGO

Dziewczyny wszystkie przerwy spędzają na murku przed szkołą, wystawiając twarze do słońca. Beacie wyszły piegi. Wygląda super!

Wiosną nawet pani Barszcz wydaje się poczciwą kobietą. Chociaż Klakson jest pewnie innego zdania. Na matmie pani Barszcz wysłała go po dziennik do pokoju nauczycielskiego. No i Klakson zboczył z dziennikiem do kibla, gdzie przeprawił swoje pałki na czwórki. Na tej intymnej czynności nakryła go woźna. Całą biologię przesiedział u dyra na mękach.

Dyro ma pełne ręce roboty – od kiedy się ocepliło, co chwila doprowadzają mu nowych wagarowiczów do przykładnego ukarania. Woźna jak pies gończy lustruje krzaki wokół szkoły i wyławia z nich szczawi z młodszych klas.

PIĄTEK, 11.04
FILIPA, LEONA

Po południu wpadła Balbina – nasza sąsiadka i „najlepsza przyjaciółka" Kaszydła. (Kaszydło ma dwa tuziny „najlepszych przyjaciółek").

Balbina jest w zerówce i wczoraj wypadł jej mleczny ząb. Włożyła go pod poduszkę („dla Wróżki Zębuszki"), a rano pod poduszką leżał nowy pamiętnik z zezowatym krasnoludkiem na okładce. Balbina, rzecz jasna, zachwycona!

Kaszydło pozieleniało z zazdrości, a potem zaczęło szarpać i tarmosić swoje mleczne uzębienie. Oto skutki pielęgnowania zabobonów – wystarczy, że jakaś nieodpo-

$$\text{🦷} + \text{🦷} + \text{🦷} + \text{🦷} = \left(\text{🎁}\right)^2$$

wiedzialna babcia wciśnie dziecku kit o Wróżce Zębuszce, która zamienia mleczne zęby w pamiętniki z krasnoludkiem, a już omamiona wnuczka wyrywa sobie zęby gołymi rękami!

Nie koniec na tym. Kaśka wykombinowała sobie – jeden ząb = jeden prezent. A dużo zębów = dużo prezentów. I dawaaaj dzwonić do babci Pelci, żeby pożyczyła swoją sztuczną szczękę „dla Wróżki Zębuszki". O matko! Co za matoł! Chciałbym widzieć tę wróżkę, jak biega po kuchni i kłapie sztuczną szczęką babci Pelci!

SOBOTA, 12.04
JULIUSZA, LUBOSŁAWA

Wysłaliśmy z Klaksonem zgłoszenia do teleturnieju *Wiem Wszystko*. Lada dzień spodziewamy się zaproszenia na eliminacje. Rodzinie oko zbieleje, kiedy wrócę do domu wygranym samochodem.

Wypożyczyłem z biblioteki *Księgę przysłów polskich*. Klakson studiuje *Słownik wyrazów obcych*. Łazi po pokoju i powtarza: „aborygen-albinos zaadoptował agresywnego adepta alchemii... Banalny balneolog wręczył bakszysz barmanowi i odpłynął bejdewindem na Bermudy...".

Martwię się o Klaksona. Jego mózg nie przywykł do takiego potwornego wysiłku.

NIEDZIELA, 13.04
PRZEMYSŁAWA, HERMENEGILDY

Wiosna rozleniwiła Papiszona. Wieczorami nie zamyka się w swojej norze z dodatkową robotą, tylko gra w pchełki z Potworami. Na dodatek daje się ogrywać jak dziecko.

Z powodu wiosny moi starzy dziecinnieją – w zeszłym tygodniu przyłapałem ich w kuchni, jak się całowali. A dzisiaj widziałem, jak szli po zakupy, trzymając się za ręce. Wstydu nie mają... Co do mnie, to prędzej zjem własny kapeć, niż będę spacerował po osiedlu z dziewczyną za rękę!

PONIEDZIAŁEK, 14.04

JUSTYNY, WALERIANA

Hurrra! Pokazałem Papiszonowi szóstkę z historii za konfederację barską. Obiecał mi rower, jak się podciągnę z geografii. Jasne, że się podciągnę – facetka od geografii lada dzień idzie na urlop macierzyński, a na zastępstwo przyjdzie jak zwykle pan od robót. Wszyscy go lubią, bo podczas klasówek nie biega po klasie jak głupi i nie zagląda pod ławki, tylko wyjmuje „Przegląd Sportowy" i czyta.

Podobno odwołali redukcję u Papiszona w pracy. Mama upiekła szarlotkę i kupiła dużą colę. Wspomniała coś o zakupach...

WTOREK, 15.04

ANASTAZJI, BAZYLEGO

Fifa spóźnił się na matmę, bo Gutek się okocił. Czy o szczurze można powiedzieć „okocił"? No bo przecież nie „oszczurzył"? W każdym razie domniemany samiec Gutek został matką i to kompletnie załamało Fifę. Nie wie, jak się do niego (to znaczy do Gutka) zwracać. Poza tym rodzina Fify nie chce słyszeć o hodowli szczurów, z trudem toleruje jednego. Zarazek, Klakson i Krośkiewicz od razu wyrazili chęć wychowywania szczurków, ale ich starzy jeszcze nic o tym nie wiedzą. Zapytałem mamę, co myśli o małych zwierzątkach domowych. Powiedziała, że nic nie myśli i mnie też nie radzi. Wystarczą jej trzy małe zwierzęta domowe (że niby ja, Kaśka i Potwór?).

Po południu byliśmy u Fify obejrzeć szczurki. Są cztery. Fifa zignorował fakt, że Gutek okazał się samiczką, i nadal nazywa go Gutkiem. Powiedziałem Fifie, że jeśli Mamiszon pęknie i zgodzi się na zwierzątko, to ja zaklepuję samczyka.

ŚRODA, 16.04

JULII, KSENI

W sprawie szczurka mam w Papiszonie sojusznika. Tata gdzieś czytał, że szczury są bardzo inteligentne, a poza tym nie brudzą, nie szczekają, więc w zasadzie tata jest za. Problem w tym, że to mama jest szefem. Gdyby w naszym domu panowała demokracja, tobyśmy mamę przegłosowali i po krzyku. Niestety – to jest monarchia absolutna, autokracja i tyrania...

Kaszydło obiecało oddać szczurkowi swój domek dla lalek. W razie odmowy cała nadzieja w tym, że Kaśka się efektownie rozpłacze.

CZWARTEK, 17.04
ROBERTA, RUDOLFA

Mamiszon się zgodził! Oczywiście nie od razu. Negocjacje trwały od rana, a kapitulacja nastąpiła dopiero po dobranocce. Zawiadomiłem Fifę. Odbierzemy szczurka, jak tylko się usamodzielni. Nazywa się Czesiek i jest najmądrzejszy z całej czwórki. Kaśka chciała go nazwać Ken – niedoczekanie!

PIĄTEK, 18.04
BOGUSŁAWY, APOLONIUSZA

O mało nie dostałem zawału! Mama otworzyła mi drzwi z wiosenną maseczką na twarzy. Wyglądała jak Frankenstein. Nigdy bym się nie domyślił, że twarożek rozdziabany z mrożonymi truskawkami może służyć do innych celów niż jedzenie. Okazuje się, że upiększa.

SOBOTA, 19.04
ADOLFA, TYMONA

Na bazarku koło domu spotkaliśmy Kuczmierowskiego – miał rozkładany stolik i handlował beretami. Fantastycznie mu szło. (Kuczmierowski zbiera na skórzaną kurtkę z bajerami).

Fifa pojechał do dziadka po rozkładany stolik, Piroman kupił gazetę i szuka ogłoszenia o hurtowni beretów. Nie czuję w sobie powołania do handlu ulicznego. Wygląda na to, że nici z roweru górskiego.

NIEDZIELA, 20.04
CZESŁAWA, AGNIESZKI

Mamy w domu własnego szczurka. Mama próbowała protestować, ale Papiszon przypomniał jej, że „słowo się rzekło, szczurek u płota". Chciałem go nazwać Czesiek, ale rodzina upierała się, że też ma w tej sprawie coś do powiedzenia. Mama nalegała na „Pompejusza", Kaśka powtarzała: „tylko Ken", a ja forsowałem „Czesława".

W końcu każdy napisał na kartce swoją propozycję, kartki wrzuciliśmy do kapelusza i Mały Potwór wylosował. W ten sposób szczurek został OGRYZKIEM. To był pomysł Papiszona. Dziewczyny próbowały unieważnić losowanie, kiedy tata oznajmił, że Ogryzek to... nazwisko, a naprawdę nasze zwierzę nazywa się Pompejusz Czesław Ken Ogryzek.

Szczurek wykorzystał zamieszanie i ogryzł izolację z kabla od internetu. Czy to znaczy, że nowe nazwisko mu się podoba?

PONIEDZIAŁEK, 21.04
FELIKSA, ANZELMA

Przyłapałem Kaśkę, jak próbowała wcisnąć Ogryzka w kostium plażowy Barbie. Wczoraj dzielnie zniósł wożenie w wózku dla lalek, ale na kostium się nie zgodził. W końcu to facet, nie? (Przynajmniej taką mam nadzieję, chociaż po doświadczeniu z Gutkiem niczego nie można być pewnym). Mama pytała mnie dziś po raz trzeci, czy na pewno nic się nie da zrobić z łysym ogonem Ogryzka – jej się wydaje, że gdyby mu ten ogon posmarować maścią na porost włosów, Ogryzek mógłby uchodzić za wiewiórkę. Na razie niedoszła wiewiórka spompowała się na dywan. Wniosek – imię Pompejusz nie było pozbawione sensu.

WTOREK, 22.04
LEONA, ŁUKASZA

Ogryzek zjadł obcas od maminego buta. Na razie nikt nie zauważył – oba buty wrzuciłem za lodówkę. Biedne zwierzątko gryzie, bo mu zęby rosną. Jutro pójdę do psiego sklepu po gumową kość. Myślę też o smyczy – gdyby Ogryzek miał smycz, moglibyśmy wiosną zabierać go na działkę cioci Ani. Bez tego nie da rady. Bobik – ta psia kreatura – zeżarłby go jednym kłapnięciem.

ŚRODA, 23.04
JERZEGO, WOJCIECHA

W psim sklepie jest wszystko – psie piłki, psie konserwy, psie ciasteczka, psie czapki i kalosze, nawet psia pozytywka. Nie ma tylko smyczy dla szczurów. Sprzedawca był bardzo natrętny, koniecznie chciał wiedzieć, jakiej rasy jest mój pies. Powiedziałem mu na odczepnego, że chudy ratlerek. Usiłował mnie namówić na różową obróżkę z pomponami. Rozmiar mini. Ładne mi MINI – Ogryzek mógłby przez nią skakać jak przez płonącą obręcz. Pozostaje mi uderzyć do Mamiszona – może zgodzi się zrobić obróżkę szydełkiem? Nasz Pompejusz jest jedyną istotą, która może docenić mamine rękodzieło artystyczne.

CZWARTEK, 24.04
HORACEGO, GRZEGORZA

Cały dzień uczyłem Ogryzka aportować. Niestety, bystrzak to on nie jest! Patrzył ospale, jak rzucam gumową kość, pędzę po nią i przynoszę w zębach. I nic, zero reakcji. Ożywił się, dopiero kiedy mama wyjęła zza lodówki nieszczęsne buty. Była niezła afera! Stanęło na tym, że mama zrobi Ogryzkowi włóczkową obróżkę, smycz i kaganiec.

PIĄTEK, 25.04
MARKA, JAROSŁAWA

Nadal nie ma odpowiedzi z z teleturnieju *Wiem Wszystko*. Teraz żałuję, że nie posłuchałem Klaksona – on do swojego zgłoszenia przypiął zdjęcie. Na zdjęciu ma wąsy i baki domalowane flamastrem. Wygląda jak trzydziestolatek. No, powiedzmy raczej: jak trzydziestoletni krasnal, bo Klakson jest najniższy w klasie. Nigdy go nie wpuszczają na filmy od osiemnastu lat, chociaż staje na palcach i awanturuje się grubym głosem w tej jesionce pożyczonej od ojca.

SOBOTA, 26.04
MARZENY, KLAUDIUSZA

Dzisiaj po raz pierwszy wyprowadziłem Ogryzka na spacer. Mamiszon upierał się, żeby założyć mu kubraczek, taki jaki nosi jamnik naszej sąsiadki – że niby Ogryzkowi zimno... Kubraczek jest zielony, ma cztery czerwone nogawki, dziurkę na ogon i zapina się na zatrzaski. Mama robiła go dwa dni. Wybitne rękodzieło, ale niedoczekanie, żeby Ogryzek w to się ubrał na podwórko. Żadna szczurza samiczka nie zechce pajaca w kubraczku.

Fifa wyszedł z Gutkiem, Zarazek przyniósł Matyldę – córkę Gutka, czyli siostrę Ogryzka. No i zrobił się zlot rodzinny gryzoni. Jak facet z parteru zobaczył trzy szczury, to poszczuł nas swoim kotem. Ten kot to mięczak, od razu się zorientował, że nie ma szans, i dał nogę na drzewo.

20

NIEDZIELA, 27.04
ZYTY, TEOFILA

Mama była dziś bliska eksmitowania Ogryzka. I to z powodu jakichś głupich flanc. Całe parapety są zastawione kubkami po kefirach, w każdym kubku zielsko przeznaczone na działkę cioci Ani. A ponieważ mama zajęła ulubiony parapet Ogryzka, na którym wygrzewa się w słoneczne dni – inteligentne zwierzę upomniało się o swoje. Szczurek pozrzucał wszystkie flance na podłogę. Gdyby to zrobił Mały Potwór – nikomu nie przyszłoby do głowy, żeby go wystawić na klatkę...

Na razie eksmisja odroczona. W imieniu Ogryzka złożyłem obietnicę poprawy.

PONIEDZIAŁEK, 28.04
PAWŁA, WALERII

Kuczmierowski przyszedł do szkoły w nowej czarnej skórze. Skóra ma wszystkie konieczne bajery – pagony, ćwieki, napy, suwaki... Nie powiesił jej w szatni, tylko podczas przerw przechadzał się w niej po korytarzu. Chłopaków mało szlag nie trafił! Pasibrzuch chciał mu nawet przylać, ale zrezygnował. Dziewczyny nie mówią o niczym innym. Kuczmierowski ma nie tylko skórę, ma też mutację, wąsy mu rosną i pierwszorzędnie udaje psa. Dziewczynom nie trzeba więcej.

Nie ma sprawiedliwości na świecie... Moja wiosenna kurtka wygląda wcale nie lepiej od kubraczka Ogryzka.

WTOREK, 29.04
PIOTRA, ANGELINY

Potworowi rośnie ósmy ząb. Ślini się bez opamiętania. Mama mówi, że wygląda idiotycznie, jak ja w tym wieku. To wykluczone. Po pierwsze, Potwór jest dziewczyną. Po drugie, ma obrzydliwe dołki w policzkach i loczki. LOCZKI! Bleee!

Dbam o jej edukację muzyczną. Zakładam jej słuchawki i puszczam rap. Nie protestuje, śmieje się, pokazując siedem zębów i ten ósmy, co go jeszcze nie ma. Jak się oswoi z rapem, zajmiemy się heavy metalem.

ŚRODA, 30.04
MARIANA, KATARZYNY

Mały Potwór zeżarł mój dzienniczek. To przez te zęby, co mu rosną. Wymamlał go tak, że tylko plan lekcji ocalał. Reszta wygląda jak mokra ścierka. Napoczął też Kasiną książeczkę zdrowia – Mamiszon w porę interweniował.

Tata ma jakąś pilną robotę, cała rodzina chodzi na palcach, nie wolno hałasować pod groźbą wyszczypania pupska. Co godzinę tylko wynurza się ze swojej nory, żeby coś przekąsić.

Nora Papiszona jest najlepiej strzeżonym miejscem w domu. Nie wolno nikomu wchodzić bez pozwolenia. Panuje tam nieprawdopodobny bałagan, a mama ma zakaz sprzątania. Podłoga usłana jest „ważnymi papierami", wszędzie leżą narzędzia i części rowerowe. Wszystkie krzesła zawalone są książkami.

Dlaczego mnie nie wolno bałaganić? A Papiszonowi wolno? Nie ma sprawiedliwości w rodzinie.

CZWARTEK, 1.05
JÓZEFA, JEREMIASZA

  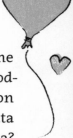

Wczoraj dostałem kartkę pocztową. Na kartce czerwone róże, a na odwrocie, zamiast tekstu – kotek, serduszka i podpis: „Tajemnicza Wielbicielka". Dam głowę, że to Klakson robi ze mnie balona. Ale jeśli nie Klakson, to kto? Beata chyba odpada, to nie w jej stylu. Może Patrycja? Albo Buba? Albo ta dziewczyna, która chodzi na angielski w te same dni co ja? O rany, trochę mnie jednak wzięło!

PIĄTEK, 2.05
ANATOLA, ZYGMUNTA

Facetka od geografii uwzięła się na mnie. Wyrywa mnie do odpowiedzi już czwarty raz z rzędu. A przecież przyzwoitość nakazuje pytać wszystkich kolejno. Jakby tego było

mało, Mamiszon zapisał się na kurs medytacji transcendentalnej. Zapytałem, co to znaczy „transcendentalny"? Mama na to, żebym się nie garbił. Dam głowę, że nie wie.

Medytować znaczy siedzieć na podłodze po turecku z zamkniętymi oczami i nie odpowiadać na nasze pytania. Na razie Mamiszon nie robi postępów, bo jak zaczyna medytować, to zaraz Mały Potwór domaga się nocnika, Kaszydło rozbiera mikser na części, a wygłodniały Papiszon wpada do domu i woła: „Jeść, jeść, jeść!".

Na obiad była zimna zapiekanka, więc tata mamrotał znad talerza, że jak już koniecznie kurs, to może lepiej kurs gotowania. Mama kopnęła go pod stołem. I to mają być dorośli...

SOBOTA, 3.05
MARII, ANTONINY

Całe popołudnie przesiedzieliśmy z Papiszonem w kuchni, bo do mamy przyszła Kornelia, a my źle znosimy wizyty Kornelii. Tata nazywa ją „szurniętą babą". Kornelia wróży, rozmawia z duchami, a w torebce stale nosi zasuszoną mysią łapkę na szczęście. Po każdej wizycie Kornelii w domu pojawiają się kłopotliwe prezenty – dzisiaj Mamiszon dostał amulet, który gwarantuje, że ciasto drożdżowe nie oklapnie. Amulet wygląda jak kozi bobek nawleczony na sznurek. Kornelia pomogła mamie przesunąć tapczan rodziców na środek pokoju (żeby uniknąć żył wodnych) i wybiegła na zebranie Towarzystwa Psychotronicznego. Papiszon nie chce słyszeć o żadnych żyłach i namawia mamę, żeby pyrgnęła kozim bobkiem za okno.

NIEDZIELA, 4.05
MONIKI, FLORIANA

Nareszcie na działce u cioci Ani.

Rano było nerwowo. Zawsze to samo – graty nie chcą się zmieścić do samochodu. Papiszon upycha do środka składane łóżeczko Potwora, kubełek na obsikane pieluchy, konewkę, kolekcję rondelków, bez której Kaszydło nie ruszy się z domu, dwie lale, koce, węża gumowego, koszyki z wałówką. Mama zaklina się, że wzięła tylko najpotrzebniejsze rzeczy. Przenośny rożen turystyczny nie chce się zmieścić, Papiszon odmawia współpracy. Mama demonstracyjnie ładuje mój nowy rower na bagażnik. Potwora wkładamy do fotelika, ja i Kaśka po bokach, mama z przodu, na kolanach ma słoiki z przetworami. W drodze Kaśka co chwila oznajmia, że zaraz zwymiotuje. Mój nowy rower obsuwa się na tylną szybę.

Wreszcie dojeżdżamy na działkę i okazuje się, że Fabisiakowie też przyjechali. Jak zwykle z Bobikiem – złośliwą karykaturą psa. Jego ojciec był basetem, a matka – jamniczką rodowodową. Nie powiem, żeby to Bobikowi wyszło na dobre. Zresztą nie mam mu za złe braku urody, tylko jego paskudny charakter. Jest to lizus i obłudnik. Fabisiakowie karmią go szarlotką, a na każde urodziny Bobik dostaje torcik ze świeczkami.

Działka cioci Ani ma dwie zalety: po pierwsze – Potwory cały czas grzebią w piachu i jest spokój. Po drugie – na obiad zawsze są pieczone kiełbaski. Gdyby jeszcze nie było Bobika...

PONIEDZIAŁEK, 5.05

IRENY, WALDEMARA

Mama musiała się nasłuchać w przedszkolu skarg na Kaszydło. Kaśka nie chce jeść jarzyn, a dzisiaj całą porcję buraczków upchnęła w rajstopy, co, oczywiście, musiało się wydać! Na dodatek upierała się, że nie ma pojęcia, skąd buraczki się tam wzięły. Wreszcie kopnęła Sebastianka, który ją podkablował, a kiedy wychowawczyni chciała ją ukarać, powiedziała, że u nas w domu mamusia kopie tatusia i nikt jej za to nie stawia do kąta. Mama, czerwona ze wstydu, wszystkiego się wyparła.

Jak to w końcu jest z tym kłamaniem?

WTOREK, 6.05
JANA, JUDYTY

Zrobiłem dobry interes. Zamieniłem trzy petardy na kauczukową piłkę, piłkę na imadełko, a imadełko na duży magnes. Klakson proponuje mi scyzoryk w zamian za ten magnes. Powiedziałem mu, że owszem, jeśli dorzuci szkło powiększające. Jak nie zechce – przehandluję magnes na kompas Kuczmierowskiego.

Mama kupiła różdżkę i wahadełko. Znalazła żyłę wodną w zlewie. Tyle to ja wiem i bez różdżki. Druga żyła jest w wannie i nazywa się „instalacja wodociągowa".

Mamiszon odpuścił z medytacją. Od przyszłego tygodnia ma chodzić na siłownię.

ŚRODA, 7.05
GIZELI, LUDMIŁY

Zrobiliśmy naradę z Piromanem i Fifą – skąd wziąć kasę? Potrzeby mamy duże, a rodziców chytrych. Piroman proponował hodowlę szczurów rasowych, ale to odpada – nie da

się ukryć hodowli szczurów przed rodzicami. Fifa upiera się, że zostanie wróżką: podobno wróżki świetnie zarabiają. Tłumaczyłem gamoniowi, że nie ma warunków – ani kota, ani szklanej kuli... No i nie jest staruszką, tylko dwunastoletnim mężczyzną przed mutacją. Mój pomysł polega na udzielaniu płatnych lekcji ruszania uszami i zezowania rozbieżnego.

Nie doszliśmy do porozumienia.

CZWARTEK, 8.05

WIKTORA, STANISŁAWA

Fifa skombinował okrągły klosz od lampy, który ma zastąpić szklaną kulę. Gorzej z kotem – istnieje uzasadniona obawa, że kot zeżre Gutka. Piroman radzi, żeby dać sobie spokój z kotem, że niby Gutek będzie robił za kota. Szczur czy kot – co za różnica, to futerkowe, i to futerkowe...

Fifa przehandlował swoje najlepsze kapsle za talię kart (prawie kompletną, brakuje tylko króla kier). Przeczytałem w *Poradniku początkującej wróżki*, że król kier oznacza nagłą miłość. Wygląda na to, że klienci Fify nie będą doznawać nagłej miłości z przyczyn obiektywnych.

Fifa chodzi na korepetycje z wróżenia do pani Polesiakowej (to przyjaciółka jego babci). Dzisiaj przerabia wróżenie z fusów i tłumaczenie snów. Uruchamiamy biznes od przyszłego piątku, bo piątek to dzień magiczny. Przewidzieliśmy zniżkę dla młodzieży i abonament dla wiernych klientów.

PIĄTEK, 9.05
BOŻYDARA, GRZEGORZA

Piroman uruchomił tak zwany *small business*. Na razie jest to produkcja na niewielką skalę, ale istnieją szanse rozwoju. Piroman wynalazł i wdrożył nieskomplikowane urządzenie z papieru, spinacza, gumki recepturki i guzika. Jak się na nim siądzie, wydaje charakterystyczny odgłos. Nazywa się „pierdzik". Prototyp przetestowaliśmy na pani Barszcz. Efekt przerósł nasze najśmielsze oczekiwania – mamy po lufie z zachowania.

Piroman zebrał zamówienia na trzydzieści osiem sztuk. Jeśli skombinuję trochę recepturek – mam szansę zostać udziałowcem.

SOBOTA, 10.05
IZYDORA, ANTONINY

Dziś skoczyliśmy z dziadkiem do kina. Dziadek pyta: „Jak myślisz, do czego służą dziadkowie?".

„Do kochania" – odpowiadam koniunkturalnie, bo coś czuję, że dziadek mnie podpuszcza.

„Źle. Poprawna odpowiedź brzmi: do naciągania" – mówi dziadek i wręcza mi forsę na dwa batony. W porządku facet z tego dziadka.

Potwory idą jutro do teatru na *Calineczkę*. Pytanie tylko – z kim? Papiszon odmówił stanowczo. Był już na *Koziołku Matołku*, był na *Tymoteuszu Rymcimci* i chwilowo ma dość repertuaru dla przedszkolaków.

Mama patrzy na mnie. Wiem, co jej chodzi po głowie. Nic z tego!

NIEDZIELA, 11.05
FRANCISZKA, WŁADYSŁAWY

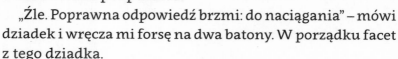

Ledwo zdążyliśmy, bo Kaśka kazała sobie zapleść włosy w warkocze. Nowe lakierki cisnęły ją w pięty, ale cierpiała w milczeniu. Mały Mizioł był pierwszy raz w teatrze: wiercił się na kolanach mamy, bił brawo zupełnie od rzeczy, umazał się pierniczkami w czekoladzie i przesikał z wrażenia pieluchę na wylot. W przerwie Kaszydło podłożyło perfidnie „pierdzika" dziewczynce, która miała ładniejsze buty.

Za moje heroiczne poświęcenie w teatrze mama podarowała mi cały swój zapas recepturek.

PONIEDZIAŁEK, 12.05
DOMINIKA, PANKRACEGO

Rano wysłuchałem horoskopu w radiu: dzisiejszy dzień ma być dla mnie wyjątkowo szczęśliwy. I rzeczywiście – zaczął się fantastycznie. Przy śniadaniu rozbolała mnie głowa. Mama obejrzała mój jęzor i kazała zmierzyć temperaturę. Proszę bardzo – 38°C. I to bez wspomagania, to znaczy bez moczenia termometru w ciepłej herbacie! Hurra! Jestem chory, nie idę do budy! Czy to nie jest dobry dzień?! Pod łóżkiem zgromadziłem pięciodniową porcję komiksów i kryminałów. Jeśli to zwykłe przeziębienie, trzy dni wolnego, ale jeśli angina, to najmniej tydzień, może więcej. Najlepsze by było zapalenie płuc – dwa tygodnie jak w banku.

Rodzina chodzi na palcach. Potwory trzymają się ode mnie z daleka (zarazki!). Żyć nie umierać!

WTOREK, 13.05
ROBERTA, SERWACEGO

Gorączka spadła mi niepokojąco szybko, musiałem pomóc termometrowi. Natarłem do 38,9°C – trochę za dużo. Papiszon pobiegł po leka-

rza. Przyszedł jakiś Stary Żółw, opukał, zalecił bańki i kleik. Bańki i kleik? Własnym uszom nie wierzę! Przecież to nie średniowiecze! Czy on nie słyszał o aspirynie?

Stary Żółw powiedział mamie, że jak na faceta z wysoką temperaturą to jestem niezwykle żwawy. Od razu dramatycznie oklapłem, ale mama przyjrzała mi się badawczo.

Z kuchni dolatuje upojna woń kleiku ryżowego. Kuracja kleikowa pokrzyżowała moje plany. Zamierzałem wyzdrowieć nie wcześniej niż za dwa tygodnie, ale Mamiszon raczej mnie zagłodzi, niż złamie zalecenie lekarza. Karmią mnie białawą breją, stale ktoś czuwa przy lodówce, żebym nie zwędził czegoś jadalnego. Nie krępując się moją obecnością, jedli dziś pierogi, a po obiedzie Kaśka miała na gębie ślady czekolady.

ŚRODA, 14.05
DOBIESŁAWA, BONIFACEGO

Jeżeli nie zjem kotleta, to zacznę chyba gryźć i kopać!

Ogryzek dostał dziś kawałek kiełbaski. Byłem skłonny przehandlować z nim swój kleik na kiełbaskę, ale on nie był skłonny, niestety! Nawet gryzoń wie, że kleik to nie jest pożywienie dla porządnego szczura.

Jestem zdecydowany natychmiast wyzdrowieć. Przeczytałem wszystkie komiksy, z desperacji wziąłem się nawet za lekturę szkolną. W bibliotece taty znalazłem książkę *Głód* Hamsuna. Tytuł wydał mi się znajomy...

CZWARTEK, 15.05

ZOFII, JANA

Piroman dobił mnie wiadomością, że wczoraj odbyły się eliminacje do mistrzostw w jeździe na deskorolce. A mnie tam nie było! Pućka oczywiście przeszła, a Piroman nie. Gamoń! Dał wygrać dziewczynie, która sięga mu raptem do ucha!

Na pytanie Piromana, jaka to choroba mnie zmogła, mama odpowiedziała, że to bardzo ciężka i strasznie zaraźliwa choroba: *griposus MISTIFICATORUS*. Czyżby mama mnie zdemaskowała?

Potwory nie uszanują nawet chorego. Skaczą po moim łóżku i znoszą mi do pokoju wszystkie swoje lale. Kaśka wyklepała wierszyk „Pan Kotek był chory". Ze szczególną satysfakcją recytowała: „...Oj, długo ty, długo poleżysz w łóżeczku...". Niedoczekanie! Po obiedzie wstaję i idę na podwórko!

Co ja mówię, po jakim OBIEDZIE? Przecież oni mi nie dadzą obiadu!

PIĄTEK, 16.05
ANDRZEJA, WIEŃCZYSŁAWA

Rano brutalnie wykopsali mnie z łóżka i kazali stawić się w kuchni. Nareszcie dali normalne śniadanie, po czym Papiszon ogłosił amnestię dla symulantów. Już dawno połapali się, że nacieram termometr, i postanowili wyleczyć mnie kleikiem. Na moje święte oburzenie odpowiedzieli, że głodówka jest zdrowa (zapewnił ich o tym Stary Żółw).

Cała ta kuracja ma jedną zaletę: zmieściłem się w moje najlepsze stare dżinsy!

SOBOTA, 17.05
WERONIKI, SŁAWOMIRA

Co roku ten sam problem – kogo zaprosić na urodziny? Po ubiegłorocznych doświadczeniach Mamiszon zdecydował, że nie może być więcej niż sześciu gości. W zeszłym roku sąsiedzi grozili, że wezwą policję. Zaprosiłbym Fifę i Mikusia, ale oni się nie lubią. Jeśli zaproszę obu – afera nieunikniona. Jeśli jednego – drugi się obrazi. Na pewno będzie Piroman. Chyba że go mama nie puści, bo właśnie ma szlaban w domu z powodu pały z matmy. Nie zdecydowałem jeszcze, czy zaprosić dziewczyny. Jeśli zaproszę Patrycję i Beatę, to chłopaki zaczną się popisywać, a to grozi

śmiercią lub kalectwem. Nie do wiary, jak daleko może się posunąć Fifa, żeby zwrócić na siebie uwagę Beaty. Zjeżdża po poręczy tyłem, robi rozbieżnego zeza, wspina się po piorunochronie...

Najdalej jutro muszę ustalić listę gości.

NIEDZIELA, 18.05

FELIKSA, ALEKSANDRY

Już wiem, kogo zaproszę na urodziny – Patrycję, Beatę, Piromana, Fifę, Klaksona i jego siostrę Pućkę. Pućka to właściwie nie całkiem dziewczyna – jeździ na deskorolce i uprawia kick boxing. Nigdy w życiu nie miała na sobie kiecki, chociaż nie... raz, jak szła do komunii. Nieprzyzwyczajona do falban, podobno potknęła się i wyłożyła jak długa przed samym ołtarzem.

Ustaliłem z mamą urodzinowe menu – będą grzanki, korki z żółtego sera, sałatka owocowa i tort. Pozostaje do omówienia drażliwa kwestia – co zrobić z Potworami?

PONIEDZIAŁEK, 19.05

PIOTRA, MIKOŁAJA

Nie cierpię jarzyn! Od kiedy pamiętam, słyszę ciągle: „Jedz surówki, są bardzo zdrowe!". Dziś śniła mi się surówka z gumowych misiów. Opowiedziałem mój sen rodzicom i niechcący rozpętałem burzę. Właściwie prawdziwym winowajcą był seler naciowy. To taka jarzyna. Przypomina niedojrzały rabarbar. Gdyby ktoś obcy wpadł do nas dzisiaj w porze śniadania, pomyślałby, że moim starym odjęło rozum.

Papiszon, siedząc przy stole, powtarzał w kółko: „Łodyga, twarda łodyga...", a mama przewracała z furią plasterki boczku na patelni, sycząc przez zęby: „A właśnie że bulwa".

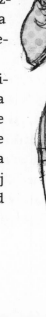

Małe Mizioły turlały bezkarnie po podłodze jajka na miękko, zadowolone z nieuwagi rodziców.

Mamiszon słucha cierpliwie, kiedy tata mądrzy się na temat wkrętów i uszczelek. Ale nie daj Boże, żeby miał swoje zdanie w kwestii gotowania i ogrodnictwa... No a dzisiaj uparł się, żeby mieć pogląd w kwestii selera naciowego!

WTOREK, 20.05
BAZYLEGO, BERNARDA

Próbuję pogodzić rodziców. Zaproponowałem negocjacje. Papiszon odmawia. Prędzej zje własny beret, niż wyprze się przekonania, że jadalna część selera naciowego jest łodygą. Mamiszon nie wychyla nosa ze swojej twierdzy, to jest z kuchni, i mamrocze coś na temat niedouczonych mądrali.

Nabieram przekonania, że z moimi starymi nie wszystko jest w porządku. Poprzednim razem kłócili się o to, czy ananas rośnie w ziemi, czy na drzewie. Zajęło im to trzy dni. Kto by przypuszczał, że ananasy rosną w ziemi, jak buraki? Kłótnie rodziców mają jedną dobrą stronę – Mamiszon zawsze piecze ciasto na zgodę.

ŚRODA, 21.05
WIKTORA, TYMOTEUSZA

Szóste klasy ogłosiły wybory MISS SZKOŁY. Kartki z nazwiskami kandydatek można wrzucać od dziś do pudełka wystawionego w holu. Miss ma być nie tylko ładna. Podczas eliminacji powinna się wykazać miłym usposobieniem i – uwaga! – inteligencją. Co za bzdura! Albo udział w durnym konkursie Miss, albo rozum... Jedno wyklucza drugie, no nie?

Wiadomość o wyborach Miss rozeszła się błyskawicznie. Dziewczyny (poczynając od zerówki) zrobiły się nerwowe. Poprawiają kucyki i mizdrzą się nie do zniesienia.

Mam dowód na to, że miłość zaślepia – Piroman zgłosił kandydaturę Pućki! To piegowate czupiradło z posiniaczonymi kolanami ma być Miss?! Litości!!!

CZWARTEK, 22.05

JULII, HELENY

Niezły cyrk! Pani Barszcz odesłała do domu trzy dziewczyny z polakierowanymi pazurami i dwie w siatkowych pończochach. Gdyby odesłała wszystkie, które ubrały się z przesadą – szkoła by się wyludniła. Beata ma na głowie utapirowaną chałkę, Buba podczas przerw paraduje w klipsach, a Miśka i Patrycja wypchały sobie biusty.

Pudełko z nazwiskami kandydatek za-
pełniło się już wczoraj. Jutro eliminacje!
Ciocia Ania zakończyła jarzynową
wojnę między rodzicami. Zadzwoniła
do znajomego botanika, a ten orzekł,
że rację ma Papiszon. Łodyga wygrała
z bulwą.
Mamiszon piecze szarlotkę, a Mizioły
ubijają krem.

PIĄTEK, 23.05
IWONY, DEZYDEREGO

Sensacja! Pućka wygrała wybory Miss! Jako jedyna z czter-
dziestu kandydatek odpowiedziała, w jakim kraju leży
miasto Salzburg, zjadła cytrynę bez skrzywienia i przeszła
z wdziękiem przez całą szerokość auli z ciężkim koszem na
głowie. Włosy miała mniej zmierzwione niż zwykle, a na
nogach nowe tenisówki. Reszta dziewczyn przebrała się za
własne matki: wszystkie miały obcasy, a Miśka to nawet
sztuczne rzęsy. Jedna rzęsa odpadła jej w trakcie jedzenia
cytryny i to pogrzebało szanse Miśki na wejście do finału.
Żadna nie wiedziała, co to KARBURATOR. Ruda z piątej d
powiedziała, że to gatunek sera, a Patrycja upierała się, że
karburator to dostojnik kościelny.
　　Na koniec Pućka przyznała po cichu, że w nosie ma
tytuł Miss, ale nagrodą był karnet na festiwal filmowy,
a ona lubi kino.
　　Hm... nawet fajna ta Pućka.

SOBOTA, 24.05
JOANNY, ZUZANNY

Mama wysłała mnie po świeczki na tort i kolorowe serwetki. Z trudem wytłumaczyłem jej, że nie ma sensu kupować papierowych czapeczek dla gości. Mamiszonowi ciągle się wydaje, że mamy po pięć lat i będziemy grać w łapki!!!
Kaszydło maluje dla mnie w tajemnicy laurkę. Tajemnica jest mało tajemnicza, bo Kaśka lata cała upaprana farbami! Kazała sobie odprasować najlepszą sukienkę. Nic z tego! Smarkatym wstęp wzbroniony!

Jest dziewiąta wieczór. Właśnie wyszedł ostatni gość. Było super! Fifa przyniósł Gutka i straszył dziewczyny. Klakson fantastycznie udawał Jasia Fasolę. Pućka pochwaliła moją deskorolkę i obiecała nauczyć mnie kickflipa.
W połowie tańców sąsiad zaczął stukać. Mama wzięła to na siebie i poszła do niego z wielkim kawałkiem tortu.
Toast wypiliśmy bezalkoholowym szampanem. Piroman tańczył tylko z Pućką. Teraz to już pewne, że Beacie ubył jeden adorator.

NIEDZIELA, 25.05
GRZEGORZA, URBANA

Papiszon od rana był w złym humorze. Kazał Miziołom sprzątać pokój, pogonił mnie od telewizora, a Kaśce skonfiskował landryny przed obiadem. Mizioły próbowały pyskować, ale Papiszon był nieugięty.

– Tata? – zapytała Kaśka. – A ty się nie boisz, że przyjdzie po ciebie Ponury Bazyli?

– A kto to jest Ponury Bazyli? – zapytał Papiszon.

– Taki potwór. On dokucza ojcom, którzy krzyczą na własne dzieci – odpowiedziała moja siostrunia.

Widocznie tata się boi, bo już nie krzyczy. Ale landryn nie oddał.

PONIEDZIAŁEK, 26.05

FILIPA, PAULINY

Dyro przyłapał Fifę po wuefie w korytarzyku obok babskiej szatni. Szatnia ma lufcik wysoko pod sufitem. Pod lufcikiem stało krzesło, na krześle stołek, na stołku kubeł na śmieci, a na kuble balansował Fifa, filując w lufcik. Jak zobaczył dyra – spanikował i sfrunął prosto w objęcia ciała pedagogicznego. Coś tam mętnie tłumaczył, że przygotowuje się do lekcji biologii na temat drugorzędnych cech płciowych, ale nasz dyro nie wygląda na łatwowiernego.

Fifa ma wstydliwy wpis w dzienniczku: „Podgląda dziewczynki w szatni, proszę o natychmiastowy kontakt z dyrekcją szkoły". Ale obciach!

WTOREK, 27.05
JANA, JULIUSZA

Wiadomość o wyczynie Fify dotarła do moich starych. Mamiszon twierdzi, że Fifa podgląda dziewczyny, ponieważ zaniedbano jego uświadomienie seksualne. Nie chciałem mamy wyprowadzać z błędu. Nasze podwórko uświadomiło wszystkich rzetelnie, a Fifa nie był wyjątkiem. Może Fifa niewiele wie o rozmnażaniu jamochłonów i stawonogów, ale za to o rozmnażaniu naczelnych wie akurat tyle, ile trzeba.

ŚRODA, 28.05
JAROMIRA, AUGUSTYNA

Tata ma nowego szefa. Niby od dawna się o tym mówiło, ale nigdy nie wspominał, że to kobieta! Na dodatek nie całkiem stara. Co gorsza, niebrzydka. Mamiszon jest zły jak osa. Mamrocze pod nosem i kartkuje książkę o magii haitańskiej. Zwłaszcza rozdział o lalkach wudu.

Kaśka zjadła dwie paczki gumowych misiów, no i dostała wysypki na całym ciele. Dobrze jej tak, bo nie dała mi ani jednego.

CZWARTEK 29.05

MAGDALENY, URSZULI

Papiszon to kiepski taktyk. Nie umie postępować z kobietami. Bez przerwy chwali swoją nową szefową, nie zauważając, że mama coraz głośniej trzaska garnkami i coraz energiczniej szatkuje kapustę. To się nie może dobrze skończyć... Na miejscu taty już zacząłbym śledzić ogłoszenia o pracy.

PIĄTEK, 30.05

FELIKSA, FERDYNANDA

Ogryzek znowu podpadł Mamiszonowi. Moczył ogon w salaterce z kompotem, a potem go oblizał. Mama chyba przecenia inteligencję Ogryzka, bo na drzwiach kuchni wywiesiła kartkę: „Bezczelnym szczurom wstęp wzbroniony". Obawiam się, że Ogryzek jest jednak analfabetą.

SOBOTA, 31.05

ANIELI, PETRONELI

Nowa szefowa dała tacie podwyżkę. Mama zamiast się cieszyć, warczy na Papiszona i wygłasza komentarze o lisiej przebiegłości niektórych

kobiet, które robią użytek ze swojego kierowniczego sta-
nowiska, żeby omamić męską część personelu. Jeśli dobrze
rozumiem, to Papiszon ma być omamionym.

Myślę, że mama nie byłaby taka wściekła, gdyby szefowa
Papiszona miała brzydsze nogi.

NIEDZIELA, 1.06

ANIELI, KONRADA

Ze wszystkich szkolnych koleżanek Mamiszona najbardziej lubię panią Mordkę. To nie nazwisko, to przezwisko,
które podobno przylgnęło do niej
w podstawówce i zostało do dziś.
W zeszłym roku na działce pod
panią Mordką załamał się leżak, a w chwilę później
krzesełko ogrodowe.
Od tej pory Mamiszon
sadza ją czujnie na ma-
sywnym fotelu. Mordka
żywi się mieszanką cze-
koladową na zmianę ze
Slim-Fastem, przy czym
mieszanka zwykle bierze
górę. Dzisiaj zważyła się na
naszej łazienkowej wadze –
wskazówka zaklinowała
się na 98 kilogramach.
Przyjaciółka mojej ma-

my zawsze wlecze ze sobą damską torebkę o rozmiarach średniej walizki. W środku są niskokaloryczne batoniki i dropsy bez cukru.

Mama w dobrym humorze, upiekła dziś szarlotkę. Mordka odmówiła jedzenia, a po chwili nakryłem ją w kuchni na wylizywaniu słoika po bitej śmietanie.

PONIEDZIAŁEK, 2.06
MARIANNY, MARCELINA

Jest problem – po lekcjach zaczynają się zawody deskorolkowe o mistrzostwo osiedla. Po prostu muszę to zobaczyć, choćby dlatego, że Pućka ma szansę na złoty medal! Pani Barszcz widocznie nie jeździ na deskorolce, bo zapowiedziała na jutro klasówkę z matmy. I teraz jestem jak ta rozdarta sosna, nie wiem – zawody czy równania z iksem? Piroman naturalnie olał matmę, Fifa jeszcze się łamie, Kuczmierowski wynajął Klaksona do pisania ściąg, a sam wybiera się na tor deskorolkowy.

WTOREK, 3.06
TAMARY, KLOTYLDY

Pućka dołożyła kolesiom i zgarnęła złote medale we wszystkich konkurencjach! Piroman robi teraz za chłopaka „tej fantastycznej Pućki". Szczęśliwy jak prosię w błocie! Nawet pała z matmy nie zmąci jego szczęścia, a ma pałkę jak w banku. Nie napisał ani cyferki, narysował tylko pieska, domek, wieloryba, po czym oddał kartkę pani Barszcz.

Fifa ściągał od Klaksona, który odpisał od Zarazka, który ściągał od Krośkiewicza. Po klasówce Krośkiewicz zajrzał do podręcznika i doszedł do wniosku, że coś mu się pochachmęciło. Fifa, Klakson i Zarazek powiedzieli mu kilka ciepłych słów, tak że facetka od geografii wywaliła wszystkich czterech z klasy.

ŚRODA, 4.06
KWIRYNY, FRANCISZKA

Koniec roku coraz bliżej i nie mogę nikogo namówić na mecz koszykówki. Kuczmierowski nie wychodzi na podwórko z powodu szpetnej wysypki, Piroman wkuwa matmę, bo grozi mu pała, Fifa ma korepetycje z historii, a Klakson pisze trzy dyktanda dziennie. Od kiedy napisał „Krakuf" i „śrupka" w pracy domowej – starzy nie dają mu żyć i zamęczają go ortografią.

CZWARTEK, 5.06
BONIFACEGO, WALERII

Mama przeczytała gdzieś, że zjadacze mięsa brzydko pachną i są agresywni. W związku z tym przeprowadziła eksperyment na żywym organizmie naszej rodziny. Na obiad były kotlety wegetariańskie. Wczoraj jedliśmy wegeteriański gulasz, a we wtorek bezmięsne klopsiki. Mama kazała nam zgadywać, z jakich produktów ugotowała to pyszne danie. Co do mnie, to jestem pewien, że z trawy, ale wolałem nie wychylać się z tą opinią. Papiszon odpowiedział, że z tektury, i za karę dostał dokładkę. Mam szczery zamiar wyrzucić do zsypu maminy *Podręcznik jarosza*. Jestem mięsożerny! Przekonały mnie o tym kotlety z brukselki.

PIĄTEK, 6.06
LAURENTEGO, BOGUMIŁA

Ktoś, kto napisał te brzydkie rzeczy o zjadaczach mięsa – z pewnością miał na myśli Zarazka. Zarazek przylał na przerwie bez powodu jakiemuś krasnalowi z trzeciej. Wezwany przez panią Barszcz tłumaczył się, że on wchodzi w trudny wiek dojrzewania i ma „zaburzoną gospodarkę hormonalną". Rany! Gdzie on to przeczytał? Jak pani Barszcz usły-

szała o tej gospodarce, to obiecała Zarazkowi, że mu ją zaburzy jeszcze bardziej, jeśli w poniedziałek nie przyjdzie z rodzicami.

SOBOTA, 7.06
ROBERTA, WIESŁAWA

W domu pachnie gotowanym kalafiorem, więc w porze obiadu wpadłem do Fify. I nie zawiodłem się. Jego ojciec świetnie gotuje. Kiedyś był naukowcem, ale od kiedy mama Fify zajęła się biznesem – stary rzucił pracę i został gospodynią domową. Mama Fify zarabia kasę, a ojciec piecze najlepszą na świecie szarlotkę. Wszystkie sąsiadki użalają sie nad nim, ale Fifa twierdzi, że jego stary nigdy nie był szczęśliwszy. Tylko ścierać kurzu nie lubi...

Kończyliśmy jeść obiad, kiedy wpadła mama Fify. Rzuciła teczkę, usiadła, zasłoniła się gazetą z aktualnymi kursami walut i jadła kopytka, nie przerywając lektury. Na pytania Fify odpowiadała pomrukami. Rety! Wyglądała jak karykatura FACETA z dowcipów rysunkowych. No, wiecie... kanapa, piwo i pilot od telewizora. Brr...

NIEDZIELA, 8.06
MAKSYMA, SEWERYNA

Na działkę przyjechaliśmy późno. Najpierw Ogryzek nie chciał wsiąść do samochodu, potem był problem z przymocowaniem przyczepki, a wreszcie, już w czasie jazdy, gdzieś za Wyszkowem – przy-czepka odpadła niepostrzeże-nie i szukaliśmy jej dobrą go-dzinę w przydrożnych rowach.

Po przyjeździe MiziOły rzu-ciły się z łopatkami do przeko-pywania grządki pod pomi-dory – skopały rzetelnie, ale za płytko, więc Papiszon musiał po nich poprawić. Ledwo sobie usiadł – mama wyrwała mu leżak spod pupy i zagoniła do naprawy pompy.

Nazywanie naszej działki REKREACYJNĄ jest grubym nieporozumieniem. Do wieczora grabiliśmy grządki, a je-dyną wypoczętą istotą był Ogryzek, bo Mamiszon nie zdołał dla niego wymyślić żadnego pożytecznego zajęcia.

PONIEDZIAŁEK, 9.06

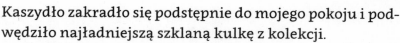

DOMINIKA, PELAGII

Kaszydło zakradło się podstępnie do mojego pokoju i pod-wędziło najładniejszą szklaną kulkę z kolekcji.

Kara była proporcjonalna do przewinienia – trzy szczy-py z zakrętasem. Naturalnie Kaśka zaraz poleciała z rykiem do mamy i pokazała siniak na pupsku. Mama zażądała wyjaśnień. Zaryzykowałem wariant o trudnym wieku doj-rzewania i zaburzonej gospodarce hormonalnej. Mamiszon wymiękł, ale tata nie! Czeka mnie potrójne zmywanie z podwójnym odkurzaniem za znęcanie się nad rodzeństwem. A Kaśka za pożyczkę bez pytania dostała tylko potrójne szorowanie zlewu.

WTOREK, 10.06
BOGUMIŁY, MAŁGORZATY

Mama Fify kupiła motor – sportową yamahę. Dokładnie taką, o jakiej marzy Papiszon. Tata zastanawia się, czy da się przejechać. Fifa nie robi wielkich nadziei – nawet jemu nie wolno zbliżać się do nowej zabawki starych. Może sobie najwyżej popatrzeć z daleka, jak rodzice z piskiem opon biorą zakręt koło apteki.

Mamiszon nabzdyczony, że niby tacie marzy się żona na dyrektorskim stanowisku, podczas gdy ona tyra w domu jak niewolnica... No i skończyło się awanturą.

Ciekawe, czy rodzice Fify się kłócą.

ŚRODA, 11.06
RADOMIŁY, FELIKSA

Mama postanowiła zarabiać duuuużo pieniędzy. Na kartce wypisała potencjalne źródła zarobków – szydełkowanie, woskowanie samochodów albo pisanie książek kucharskich. Ta ostatnia propozycja rozśmieszyła Papiszona do łez. Szepnął mi na ucho, że to byłaby książka *Pichcę i knocę*.

CZWARTEK, 12.06
JANINY, ONUFREGO

Dziś dowiedziałem się, że jestem wybrykiem natury. Podczas szkolnej kontroli dentystycznej okazało się, że rośnie mi nadprogramowy ząb. Tak się przyczaił, że go dotąd nie zauważyłem, choć jest całkiem dorodny. Rodzina przyjęła ten fakt do wiadomości bez entuzjazmu, co mnie dziwi – w końcu nie każdy ma w domu cudowne dziecko z nadprogramowym zębem. Gdybym żył w Stanach, nieźle bym zarobił, pokazując mój kieł w telewizji... Mógłbym, powiedzmy, reklamować pastę do zębów: „Tylko Fluorodent sprawia, że zęby rosną jak grzyby po deszczu...".

Mama zadzwoniła do znajomego dentysty i umówiła mnie na rwanie. To tak, jakby ugotowała rosół z kury, która znosi złote jaja... No i jak ja mogę dojść do pieniędzy w takiej rodzinie?!

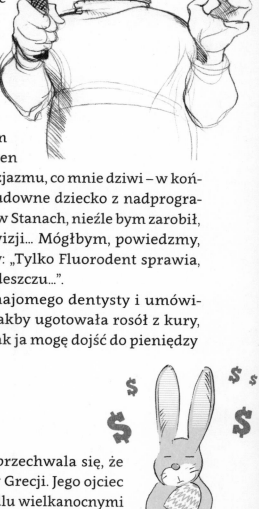

PIĄTEK, 13.06
LUCJANA, ANTONIEGO

Zarazek chodzi po szkole i przechwala się, że tegoroczne wakacje spędzi w Grecji. Jego ojciec zarobił straszną kasę na handlu wielkanocnymi zajączkami z Hongkongu. Czasem chciałbym, żeby Papiszon był bardziej przedsiębiorczy. Za granicą najdalej byliśmy w Czeskim Cieszynie...

Afera z Emilką. Ta to nie przeżyje dnia, żeby nie naskarżyć!

Upiorna Emilka, jak sama nazwa wskazuje, jest najlepszą uczennicą, przewodniczącą samorządu szkolnego i redaktorką szkolnej gazetki. Mdli mnie od jej licznych talentów! Dzisiaj trzepała dywanik na naszym trzepaku. Napisałem na kartce parę słów prawdy, z kartki zrobiłem samolocik, po czym posłałem go przez okno w kierunku Emilki. Podniosła i przeczytała. Nie minęło pięć minut, a już była pod naszymi drzwiami razem z dywanikiem, trzepaczką i moją kartką! Od razu rozpuściła jęzor przed Mamiszonem, że niby ja jestem arogancki. Na kartce napisałem:

> W EMILCE SZUKAĆ ZALETY
> – WYSIŁEK JAŁOWY – NIESTETY!
> POLOTEM NIE GRZESZY,
> LECZ JEJ TO NIE PESZY.
> NIE ZBLIŻAJ SIĘ DO TEJ KOBIETY!

Byłbym bardziej arogancki, gdybym tylko znalazł rym do „skarżypyta". Kopyta? Łachmyta? Kobita? Troglodyta?

NIEDZIELA, 15.06
WITA, JOLANTY

Byliśmy w lesie. Ja, Papiszon i Potwory – opalaliśmy się na kocyku, a mama woskowała nasz samochód, żeby sprawdzić, czy to opłacalne zajęcie. Po godzinie Mamiszon oklapł i zrezygnował. Cała nadzieja w szydełkowaniu...

Potem Potwory nasmarowały Ogryzka olejkiem do opalania i trzeba było zwijać kocyk i pędzić do weterynarza, bo Ogryzek dostał szału!

PONIEDZIAŁEK, 16.06
ALINY, ANETY

Wszystkie stopnie już wystawione i pani Barszcz zabrała nas do Łazienek.

Przed Pałacem na Wodzie stała wycieczka szkolna z Łomży i wrzucała monety do fontanny (taki przesąd).

Ledwo wycieczka się oddaliła, zaczęliśmy łowić forsę. Mnie, jak na złość, przypadły same pięciogroszówki, ale i tak starczyło na lody.

A później zwiedzaliśmy pałac królewski, z którego pani Barszcz wyszła w muzealnych filcowych kapciach i mieliśmy niezłą zabawę, kiedy doszła w nich aż do przystanku. Tam jakaś starowinka pozbawiona poczucia humoru zwróciła pani Barszcz uwagę i trzeba było wracać.

W przyszłym tygodniu idziemy na Stare Miasto. Ciekawe, czy jest tam fontanna?

WTOREK, 17.06

LAURY, MARCJANA

Dentysta pozbawił mnie jedynej szansy na zarobienie grubszej forsy. Ten dentysta to jakiś fanatyk stomatologii. Powiedział, że uwielbia swój zawód, a szczególnie lubi rwać.

Nie mam już zbywającego zęba, za to mam aparat do regulacji zgryzu. Aparat jest z różowego plastiku i z drutu i ma jedną zaletę – kiedy go zakładam, Mizioły trzymają się ode mnie z daleka (wyglądam jak Drakula).

ŚRODA, 18.06

MARKA, ELŻBIETY

Kaszydło łazi za mną i nudzi, że też chce mieć taki aparat, żeby nastraszyć w przedszkolu Sebastianka.

Swoją drogą należy się Sebastiankowi, bo wczoraj nasypał Kaśce piasku do zupy mlecznej.

Po południu aparat zginął. Nie powiem, żebym się tym przejął, szczerze mówiąc, nic mnie nie obchodzi mój zgryz. Niestety, mama nie odpuściła i tak długo przekopywała mieszkanie, aż znalazła. Aparat był w doniczce z fikusem. Mały Mizioł znowu odwalił partaninę – zakopał za płytko!

CZWARTEK, 19.06

KAZIMIERZA, WINCENTEGO

Kaśka znalazła na klatce zapchlonego kotka i przyniosła go do domu. Ogryzek dostał histerii. Mały Mizioł dostał kataru (jest uczulony na kocią sierść). Mama dostała nerwowego tiku.

Na Papiszona spadł obowiązek wyperswadowania Kaśce kotka. Nie było wcale lekko. Kaszydło zabarykadowało się z kotkiem w kuchni.

Ogryzek zaczął się wiercić i drapać – widać pchłom wszystko jedno – kot czy szczur! Stanęło na tym, że kotka się wykąpie, podkarmi, a potem przeprowadzi do Bogusi – naszej czteroletniej sąsiadki. Ona nie ma zwierzątka. Kaśka ustąpiła, rozebrała barykadę, a potem kąpaliśmy Ogryzka i Pchlarza w szamponie przeciwko insektom.

PIĄTEK, 20.06

DINY, BOGNY

Mama pojechała z panią Mordką na posezonową wyprzedaż ciuchów. Zabrała wszystkie pieniądze z puszki po kawie. Papiszon twierdzi, że to nie wróży nic dobrego. Poprzednim razem wróciły w liliowych szortach.

Mama miała na sobie pilotkę z włóczki, a pani Mordka plu-
szowe bolerko. Na pytanie Mordki: „Jak wyglądam?" – tata
odpowiedział zgodnie z prawdą: „Jak Benny Hill". Strasznie
podpadł.

Pani Mordka podarowała Mamiszonowi nową wagę.
Czeską. Czeska waga ma tę zaletę, że odejmuje każdemu
dwa kilogramy. Mamiszon zachwycony.

SOBOTA, 21.06
ALICJI, ALOJZEGO

Namówiłem rodzinę na spacer po Łazienkach. Zabrałem ze
sobą fachowy sprzęt – durszlak i siatkę na motyle. Piroman
mnie ubiegł – kiedy wreszcie doczłapaliśmy z Miziołami
do fontanny, właśnie wyławiał ostatnią złotówkę za pomocą urządzenia skonstruowanego z lejka i sitka. I to ma
być przyjaciel?

NIEDZIELA, 22.06
PAULII, ANTONIEGO

Czerwiec miesiącem oszczędności. W każdym razie u mnie. Zbieram na wakacje, ale co uzbieram, to wydam. W tym miesiącu kupiłem plakat z „Magikiem" i papierową dziesięciorublówkę z 1917 roku. No i wiszę Klaksonowi dychę.

Kaszydło zbiera na domek dla Barbie. Mały Potwór też ma skarbonkę – wrzuca do niej guziki i spinacze. Świnka już się zapełniła i ledwie ją można oderwać od ziemi. Mama zbiera na nowy odkurzacz, a tata na wczasy.

PONIEDZIAŁEK, 23.06
WANDY, ZENONA

Mamiszon uprał mi spodnie razem z banknotem dziesięciozłotowym, który dostałem od dziadka. Banknot się rozpadł, więc upomniałem się u Mamiszona o nowy. No, w końcu należy mi się rekompensata... Mama wywaliła na mnie jęzor i wywiesiła kartkę na drzwiach łazienki: „Za rzeczy pozostawione w kieszeniach pralnia nie odpowiada". Wezwany na pomoc Papiszon zdecydował, że oboje ponosimy winę za ten pożałowania godny fakt i Mamiszon pokryje połowę straty. Odwołałbym się do wyższej instancji, ale u nas w domu nie ma wyższej instancji od Papiszona.

Od tygodnia przekonuję Mamiszona, że rodzice są zupełnie niepotrzebni podczas rozdawania cenzurek. Im

dłużej przekonuję, tym bardziej mamie marszczy się nos. Zmarszczony nos Mamiszona oznacza, że z całą pewnością postawi na swoim.

WTOREK, 24.06

JANA, DANUTY

No i rzeczywiście – poszliśmy łapka w łapkę na to rozdanie – ja ubrany jak idiota – w białą koszulę i krawat, Mamiszon przebrany za Normalną Matkę, to znaczy na obcasach, w spódnicy i z torebką. Kto nie zna Mamiszona – może da się nabrać!

Najpierw była część artystyczna – jak zwykle młodsze klasy tańczyły krakowiaka, a Upiorna Emilka recytowała patriotyczny wiersz. Potem dyro palnął mówkę i co chwila nazywał nas „drogą młodzieżą", co bardzo śmieszyło Klaksona. Jak dyro przyłapał Klaksona na wagarach, to nazwał go zupełnie inaczej. Wreszcie poszliśmy do klas i tam pani Barszcz rozdała nam świadectwa. Upiorna Emilka dostała spazmów, bo okazało się, że z plastyki ma piątkę, a nie szóstkę. Mamiszon zajął się cuceniem Emilki i dzięki temu minęło mnie przesłuchanie na temat poprawnego z zachowania. A potem starzy Piromana zaprosili nas na lody i Mamiszon całkiem zapomniał na mnie nawrzeszczeć.

ŚRODA, 25.06
GRZEGORZA, MAGDY

W zeszłym tygodniu zginął aparat fotogra-
ficzny Papiszona. Przeszukaliśmy cały dom –
kamień w wodę. No a dziś aparat znalazł się
w szafce na buty. Jak Mały Mizioł to zobaczył –
uciekł z kwikiem do kuchni. To oczywiste,
że to jego sprawka, ale żeby zyskać niezbite
dowody – tata wywołał film. Połowa odbi-
tek przedstawiała ciemny kąt pod łóżkiem
Mizioła, a na jednej jest sufit, na innej noga
Kaśki, a na dwóch – coś jakby ogon Ogryzka.
Mizioł został ułaskawiony, ponieważ tata
uznał, że to całkiem udany debiut. W końcu
Mały Potwór nie ma jeszcze dwóch lat.

CZWARTEK, 26.06
JANA, PAWŁA

Jutro wyjazd na kolonie. Kuczmierowski nie jedzie. Starzy
zabierają go na pielgrzymkę. Chcą podziękować Opatrzno-
ści za cud – to znaczy za promocję Kuczmierowskiego do
następnej klasy.

Mama postanowiła zbadać, czy dobrze się spakowałem. Wytrząsnęła całą zawartość plecaka na podłogę i wszystkie rzeczy podzieliła na dwie kupki – „potrzebne" i „niepotrzebne".

Do niepotrzebnych zaliczyła: wytrych, gumki recepturki, okulary z plastikowym nosem, kapiszony, spławik i lusterko z gołą babką. Do potrzebnych dorzuciła wielką stertę różnego rodzaju śmiecia – pół tuzina majtek, patyczki do czyszczenia uszu, kalosze, proszki na chorobę morską, nożyczki do paznokci i podręcznik biologii. Nic nie szkodzi – jutro przed wyjściem na dworzec wepchnie się to pod łóżko!

LISTY Z WAKACJI

LIST PIERWSZY

PUPKI
30.CZE 2013
★ AZ ★

KOCHANI RODZICE!

Na kolonii jest ekstra! Po pierwsze, nie ma Miziołów; po drugie, nie ma pani Barszcz.

Do Olsztyna przyjechaliśmy z opóźnieniem, bo taki jeden gruby z sąsiedniego przedziału pociągnął za hamulec bezpieczeństwa. Była straszna awantura, przybiegł maszynista i zapytał grubego, dlaczego zatrzymał pociąg. Na to gruby, że widział przez okno kiosk ze słodyczami i chciał sobie kupić batona. Wychowawczyni tej grupy z sąsiedniego przedziału postanowiła od razu wracać do Warszawy, ale kierownik kolonii się nie zgodził. Powiedział coś zupełnie bez sensu, że „kości zostały rzucone". Nie mam pojęcia, o co mu chodziło. Rzucaliśmy się tylko jajkami na twardo, żadnych kości nie było...

Na początku siedzieliśmy w jednym przedziale z Piromanem i Fifą. Ale już na Dworcu Zachodnim Fifę przesadzili za karę do dziewczynek, bo wlazł na półkę z bagażami i udawał King Konga. Piroman przez całą drogę trzymał swój plecak na kolanach i co chwila do niego zaglądał. Nie chciał powiedzieć, co tam ma – kryształowy wazon? No bo chyba nie nitroglicerynę? Jeden chłopak z naszego przedziału zrobił sobie sztuczne zęby ze skórki od pomarańczy i poszedł nastraszyć dziewczynki. Już nie wrócił, dołączył do Fify i aż do Olsztyna musieli obaj grać z dziewczynkami w łapki.

Nasz wychowawca jest rudy, ma zupełnie białe rzęsy i jest piegowaty jak nie wiem co. Nawet na uszach ma piegi. Niespecjalnie się nami zajmował, bo przez całą drogę podtrzymywał na duchu tę wychowawczynię z przedziału obok.

W Olsztynie przesiedliśmy się do autokarów. Było trochę zamieszania, bo Piroman za nic nie chciał umieścić swojego plecaka w bagażniku. Kierownikowi powiedział, że lepiej będzie dla nas wszystkich, jeżeli pozwolą mu zabrać plecak ze sobą do autokaru. W drodze wychowawczyni najstarszych dziewczyn poprosiła, żeby ktoś na ochotnika zaśpiewał piosenkę. Zgłosił się ten gruby od batonów, którego nazwaliśmy Hamulcowy. Jak zaczął śpiewać o psotnych skrzatach, to małośmy z siedzeń nie pospadali, a kierowca zatrzymał autokar i powiedział, że on się musi skoncentrować w czasie jazdy i żeby go nie narażać na stresy.

Wysiedliśmy z autokaru przed szkołą w Pupkach, gdzie będziemy mieszkać.

Chłopaki zaczęły się kłócić o to, jak nazywają się mieszkańcy Pupek – jedni mówili, że Pupkowiacy, drudzy, że Pupkownicy. Ja myślę, że najładniej by było Pupiszony. Fifa mi podpadł, bo w ogóle nie zwracał na nas uwagi, tylko targał plecak za jakąś kudłatą blondynką z najstarszych dziewczyn i patrzył na nią jak Kuczmierowski na swój nowy rower.

Śpię pod oknem, między Piromanem a jakimś Drągalem, który nie wymawia „r". Fifa z powodu tej kudłatej nie zaklepał w porę dobrego łóżka i śpi przy drzwiach. Piroman obiecał nakłonić Drągala, żeby zamienił się na miejsca z Fifą. Ciekawe, jak on ma zamiar to zrobić? Jak stanie na palcach – sięga Drągalowi do ucha. Piroman twierdzi, że ma w plecaku bombowe środki perswazji.

Zaraz idziemy nad jezioro łapać żaby. Po ciszy nocnej będziemy je wrzucać dziewczynom przez okno. Czy mówiłem już, że na kolonii jest ekstra? Mamo, nie zapomnij karmić Ogryzka trzy razy dziennie! Całuję mocno!

WASZ MIZIOŁEK

LIST DRUGI

PUPKI
3.LIP 2013
★ AZ ★

KOCHANI RODZICE!

Dziękuję za paczkę. Piroman przyniósł wagę aptekarską z gabinetu lekarskiego i podzieliliśmy słodycze po równo. W zeszłym tygodniu paczkę dostał Drągal. Wepchnął ją pod łóżko i nie chciał się z nikim dzielić.

Kiedy rozgrywaliśmy mecz w nogę, Drągal pobiegł do sali, zamknął się na zasuwkę i zjadł całą torbę czekoladowych michałków. Przy kolacji patrzyliśmy z satysfakcją, jak Drągal zmienia kolor. Nie do twarzy mu w zielonym.

Wczoraj była wycieczka do Malborka. Pani dyrektor miała za złe Fifie, że interesował się wyłącznie czujnikami przeciwpożarowymi i zaglądał do wszystkich kratek wentylacyjnych. Co zrobić – facet ma techniczne zainteresowania! Próbował nawet uruchomić most zwodzony, tyle że wybrał kiepski moment, bo na moście była właśnie wycieczka pielęgniarek z Łomży.

Po ciszy nocnej przebraliśmy Drągala za ducha komtura krzyżackiego Ulricha von Jungingena. Drągal stanął pod oknami dziewczyn, Zyzik świecił na niego z krzaków czerwoną latarką, Fifa skrzypiał oknem w korytarzu, a na koniec Piroman odpalił petardę. Dziewczyny zaczęły piszczeć, pchać się do drzwi, no i obudziły całą kolonię. W ogóle było bardzo fajnie, tylko pani dyrektor jak zwykle popsuła zabawę. Zabrała Drągalowi sitko, które miał na głowie, a Zyzikowi latarkę. Wezwała do siebie naszego wycho-

64

wawcę i wychowawczynię najstarszych chłopaków i wtedy wydało się, że ich nie ma, bo poszli zaczerpnąć świeżego powietrza.

Naszego wychowawcę nazywamy Marchewka. On jest w porządku i wcale nie chcieliśmy narobić mu obciachu, samo wyszło. Marchewka łazi za wychowawczynią najstarszych chłopaków od początku kolonii. Przykro patrzeć, jak się męczy, bo ona ciągle pływa łódką z ratownikiem.

Zyzik mówi, że Marchewka to gamoń i że jest wiele sposobów, żeby zwrócić na siebie uwagę kobiety. Można jej podstawić nogę, można wrzucić kulkę lodów za bluzkę albo przylepić landrynę do włosów... Zyzik mówi, że dziewczyny za tym przepadają, a Zyzik zna się na kobietach, bo ma trzy starsze siostry. Piroman uważa, że prościej byłoby zneutralizować ratownika, tylko jak?

Ogryzkowi ściskam łapę, Potworom też. Buzia!

MIZIOŁEK

PS Wygrałem wyścig z jajkiem na łyżce!

LIST TRZECI

Miziołku, proszę nie neutralizować ratownika mówiłam sto razy do diabła koniec z petardami, bo obetnę tygodniówkę. Znalazłam pod łóżkiem kalosze to nie jest w porządku kalosze bardzo potrzebne. Ogryzek połknął żeton, ale przeżył ten szczur strawi nawet szkło. Nie chodzę już na siłownię. Mordka chodziła a nie schudła ani grama będę grać na mandolinie to proste mandolinę już mam pożyczyłam od Fabisiaków. Wyobraź sobie pan Fabisiak grał w zespole El Pueblo widziałam zdjęcie idiotyczne sombrero i dolepione wąsiki. Tata Cię całuje Potwory też. Muszę kończyć Kaszydło kopie w drzwi ja jej pokopię.

MAMISZON
PS Wysyłam kalosze.

KOCHANA MAMO!

List dostałem, dziękuję. Nie gniewaj się, ale czy ktoś Ci już mówił, że powinnaś popracować nad interpunkcją? No, wiesz – kropki i przecinki. Paczka doszła. W środku był tylko jeden kalosz. Jeśli się upierasz, mogę go zakładać na deszcz, ale wygodniej by było w dwóch.

Niedługo zielona noc. Mikuś od dwóch tygodni nie myje zębów, żeby zaoszczędzić pastę do mazania dziewczyn. Nazbieraliśmy duże pudełko winniczków. Jest tu taka śmieszna pielęgniarka. Wpuścimy jej pod kołdrę. Piroman kończy instalować lonty do petardek. Odpalimy je o północy pod oknem ratownika. Dziewczyny coś kombinują. Zyzik widział, jak wynosiły z kuchni worki po ziemniakach. Na co im worki po ziemniakach?

W sprawie Marchewki jest znaczny postęp. Piroman zrobił dziurkę w łódce ratownika i skończyły się romantyczne przejażdżki. Marchewka zaprosił wreszcie tę swoją ukochaną na lody. Zrobił się przy tym taki czerwony, że aż mu piegi zniknęły. Teraz jej grupa i nasza wszędzie chodzą

razem. Marchewka zupełnie na nas nie krzyczy, właściwie nawet nas nie zauważa, tak jest zajęty wychowawczynią najstarszych chłopaków.

Fifa biadoli, że kolonia kończy się właśnie teraz, kiedy on uruchomił taki świetny interes – za dwa cukierki od sztuki robi szczawiom z młodszych grup papierowe hełmy. Szczawie prowadzą wojnę na patyki z Krzyżakami, czyli z miejscowymi. Nie zanosi się na rozejm, Fifa ma pełne ręce roboty. Wracamy we wtorek, o 20.00, peron IV.

Mamo! Weź z sobą na dworzec Ogryzka. Chcę go pokazać chłopakom i Marchewce. Całuję, szczypy dla Potworów.

MIZIOŁEK

LIST PIĄTY

WARSZAWA
18.LIP 2013
★ AZ ★

PRIORYTET

BABCIU – DRAPCIU!

Odpisz szybko, czy nie masz nic przeciwko temu, żebym przyjechał wcześniej, powiedzmy w czwartek? Wróciłem z Pupek w sam środek remontu. Mamiszon maluje sufit, Miziołky leżą przykryte gazetami i grają na pokrywkach. Z taty nie ma żadnego pożytku, wdepnął w kubeł z emulsją – no, w ogóle horror! Jak mama skończy z tym sufitem, to zacznie się sprzątanie – sama rozumiesz, Babciu, że nie wyrabiam, w końcu mam wakacje i coś mi się od życia należy?!

WNUCZEK

LIST SZÓSTY

KOCHANI RODZICE!

Do babci dojechałem bez problemów. W pociągu byłoby ekstra, gdyby nie to, że w Łodzi do przedziału wsiad-
ła kobieta z dzieckiem. Dziecko było na oko pięcioletnie,
samczyk, Rysio. Okazał się piekielnym Rysiem. Kiedy jego
mama zajęła się bagażami, Rysio przykopał mi bez słowa
w kostkę. Zanim dojechaliśmy do Poznania, szczeniak wy-
pluł sałatkę ziemniaczaną na podłogę, wepchnął wyżutą
gumę w zatrzask od walizki, a do konduktora powiedział:
„Spadaj, pajacu!".

Na dworcu czekała babcia. Od ubiegłego roku prze-
rosłem babcię o pół głowy. Już w PKS-ie wyjęła z torby
kanapki i zaczęła mnie dokarmiać, bo co prawda urosłem,
ale mizernie wyglądam.

W Kiełpinie nic się nie zmieniło. Tylko nie ma już tego klonu, który rósł przed domem babci. Wiosną przewróciła go wichura.

Tropek od razu mnie poznał i mało mu ogon nie odpadł od merdania. Nie zauważył nawet, że kot Wojtasików wyżera mu z miski. Mały Wojtasik pokazał mi jęzor przez płot. Szybko się uczy. W zeszłym roku nie potrafił nawet chodzić! Wieczorem wpadł listonosz i babcia jak zwykle ograła go w szachy.

Chłopaków znalazłem nad rzeką. Łapali żaby. Kazik ma w domu małego bociana ze złamanym skrzydłem. Leczy go i karmi, dopóki skrzydło się nie zrośnie. Guma wcale się nie zmienił, tylko uszy odstają mu bardziej niż przed rokiem.

Obejrzeliśmy przez płot bratanka sąsiadów, który przyjechał na wakacje ze Szczecina. Nazywa się Krystian i chyba nie będziemy mieli z niego pożytku. Karmi kury w świątecznym ubraniu i widać, że brzydzi się drobiem.

Na obiad były pierogi z jagodami. Zjadłem szesnaście. Przynajmniej raz babcia była zadowolona z mojego apetytu.

Jutro jedziemy pomagać przy sianokosach. W nagrodę babcia pozwoli nam grzebać na strychu. Musimy tylko podpisać zobowiązanie, że nic nie wyniesiemy do Muzeum Regionalnego bez pytania. Babcia była okropnie zła w ubiegłym roku, kiedy zobaczyła na wystawie w muzeum swoją lampę naftową i kołowrotek. Udobruchał ją dopiero list od kustosza z podziękowaniem za darowiznę. Ojciec Bartka też dostał taki list. Poszedł nawet wyjaśnić kustoszowi, że to nieporozumienie. Dopiero jak zobaczył na wystawie swoją zabytkową skrzynkę na narzędzia, ruszył pędem do domu, żeby Bartkowi przetrzepać tyłek. Dorośli nie znają się na dobrych uczynkach!

Niedługo zaczynamy budowę szałasu. Zamierzamy w nim spać – babcia obiecała dać nam kanapki. Nowy szałas lepszy od tego, który w ubiegłym roku zjadła nam koza sąsiadów. Kajtek upiera się, żeby szałas był z igliwia – podobno kozy wolą drzewa liściaste. Wątpię! Może normalne kozy wolą, ale nie ta. Sam widziałem, jak zjadła torbę foliową, a babcia twierdzi, że tajemnicze zniknięcie książeczki opłat za gaz to też jej sprawka.

Właściwie to prawie tę kozę polubiłem – dzisiaj przegoniła Krystiana wokół podwórka. Wrzeszczał jak opętany. Patrzyliśmy na to przez płot bez przykrości, a Kajtek miał szczególną frajdę, bo to jego Krystian nazwał wsiowym głupkiem.

Ściskam kończyny całej rodziny. Babcia całuje i przesyła przepis na uszka do barszczu.

MIZIOŁEK–MATOŁEK

PS Mamo! Zapytaj Klaksona, czy ma namiot.

WARSZAWA
31. LIP 2013
★ AZ ★

MIZIOŁ, GAMONIU!

Muj namiot odpada, myszy wrąbały całą podłogę. Pogadaj z Benkiem, on ma nowy. Jak nie, to morzna pożyczyć od Juska. Ty się opalasz, a mnie staży katują dyktandami, to przes te poprawke s polaka. Wyjazd w piontek spod szkoły.

SIEMANKO! KLAKSON

BRODNICA
8. SIE 2013
★ AZ ★

CZEŚĆ, FIFA!

Jestem w Brodnicy. Trzeci dzień leje, w radiu zapowiadają opady ciągłe i co spojrzę na Benka, to mam ochotę go palnąć za to, że rozbił nasz namiot w leju po pocisku artyleryjskim. Wszystko mi przemokło, na dodatek mamy wspólny prowiant, a Benek lubi zjeść, więc muszę być czujny dzień i noc.

Dziewczyny z zastępu Pućki okopują namiot za pomocą łyżeczki do herbaty. Równie dobrze mogłyby nosić wodę naparstkiem.

Przez Benka wygłupiliśmy się na nocnych podchodach. Mieliśmy zabrać flagę dziewczynom z sąsiedniego obozu i kiedy Klakson był o metr od celu, Benek wyjął z kieszeni surową botwinę i zaczął ją chrupać jak jakiś wygłodzony królik – tak głośno, że warta od razu nas nakryła. I żeby go chociaż brzuch rozbolał od tego zielska – a gdzie tam! Wszystkożerca, kurczę blade! Podobno mama zamyka przed nim lodówkę na zamek szyfrowy i co tydzień zmienia szyfr. Na ten obóz starzy posłali go, żeby schudł. Naiwni! Jeśli ktoś tutaj schudnie, to tylko ja, i to wbrew własnej woli.

Leżymy w mokrym namiocie i czekamy na pogodę. Od śniadania gramy w durnia. Benek żuje szczaw i gapi się na Myszę, która co chwila przebiega przez plac apelowy. Mysza to dziewczyna z zastępu Pućki, nic nadzwyczajnego, tyle że potrafi zjeść żywą dżdżownicę. Na Benku to robi wrażenie.

Tak w ogóle to nie jest źle. Ale byłoby jeszcze fajniej bez dziewczyn, bo one ciągle wymyślają a to Dzień Czystości, a to Dzień Zalesiania, a to konkurs, kurczę blade, literacki. Nie po to jadę na obóz, żeby mi jakaś Pućka w uszy zaglądała, a od zalesiania bolą mnie kolana. W konkursie na wiersz same sobie przyznały nagrodę za jakieś rzewne rymy: ...bzy... sny... łzy..., no mówię Ci – paranoja! Tylko Benek jest zachwycony, patrzy na tę swoją Myszę cielęcym wzrokiem i wszystko mu się podoba. Zgłosił się nawet do konkursu na haft krzyżykowy. Wracam czternastego i zaraz jedziemy z rodzicami do Jelitkowa. Tak sobie jeżdżę „fte i wefte", jak by napisał Klakson!

POZDRÓW GUTKA – MIZIOŁ

LIST DZIEWIĄTY

WARSZAWA 9.SIE 2013 ★ AZ ★

KOCHANY MIZIOŁKU!

Słyszałem, że u Was pada? Posyłam Ci trochę forsy na drobne wydatki. Tylko się nie wygadaj przed mamą, bo nam palnie mówkę „O szkodliwości rozpieszczania wnucząt". Co do malowania, to mama skończyła już z sufitem, zabrała się za drzwi i okna.

Dziewczynki siedzą teraz u nas, bo nawiązały bliski kontakt z puszką farby olejnej i trzeba je było umyć rozpuszczalnikiem. Anusi musieliśmy obciąć grzywkę – cała była w farbie.

Papiszon wpada do nas na obiady, bo mama nie ma głowy do gotowania. Łazienkę podobno pomalowała w rybki. Jest szansa, że remont zakończy przed Waszym wyjazdem nad morze.

Ja i babcia wyjdziemy po Ciebie na dworzec.

TRZYMAJ SIĘ!
DZIADEK JUREK

74

LIST DZIESIĄTY

DĘBKI
21. SIE 2013
★ AZ ★

CZEŚĆ, PIROMAN!

Jesteśmy nad morzem z rodzicami. Przez pierwszy tydzień było fajnie, bo rano miałem tylko obowiązek wykopać grajdoł dla rodziców i do obiadu był spokój. No ale od paru dni pada i starzy robią się nerwowi.

Są tu bliźniacy z Krotoszyna, mają świnkę morską. Nazwali ją Kapitan i budujemy dla niej transatlantyk z pudeł tekturowych.

Świnka źle znosi próbne rejsy, wygląda na to, że trafiła nam się świnka śródlądowa. Bliźniaki to szczęściarze – ich rodzice całymi dniami grają w brydża i nie mają głowy do dzieci. Bliźniakom wolno się nie myć, a na obiad dostają gofry i coca-colę!

Wczoraj był sztorm, fala wyrzuciła na brzeg skrzyn-

kę po kubańskim rumie. Zrobiliśmy z niej szalupę dla Kapitana.

Mama zwątpiła już chyba w pogodę, bo kupiła dużą tubę samoopalającego kremu. Na pierwszy słoneczny dzień zapowiedziano konkurs budowania zamków z piasku. Mój ojciec bardzo wiele sobie po nim obiecuje. Nie usiedzi na kocu dłużej niż dziesięć minut. Wyrywa dzieciom kubełki z rąk i upiera się, że on lepiej stawia babki. Razem z pięcioletnim synem sąsiadów zbudowali Smurfa z piasku. Bliźniaki pytały, czy to mój ojciec tak się wygłupia.

Za tydzień będę w domu. Wpadnij do mnie, zobaczysz naszą świeżo pomalowaną łazienkę.

MÓWIĘ CI – ODLOT!
MIZIOŁ

LIST JEDENASTY

28. SIE 2013 ★ A.Z. ★

KOCHANA BABCIU-DRAPCIU!

Jesteśmy już w domu. W ubiegłym roku ostatni dzień wakacji spędziliśmy razem w wielkim korku na szosie między Jelitkowem a Warszawą. Tego lata Papiszon postanowił przechytrzyć wszystkich kierowców i wyjechać w podróż powrotną WCZEŚNIEJ.

W piątek rano zwinęliśmy majdan i nadspodziewanie szybko zapakowaliśmy graty do auta. Była tylko jedna awantura – Potwory próbowały przemycić do bagażnika słoik z meduzą i trzy kubełki kamyków morskich, ale Papiszon był czujny i nie dał się zaskoczyć.

Wyjechaliśmy na szosę i od razu stało się jasne, że wszyscy wczasowicze wpadli na ten sam pomysł co tata. Bardzo chytre! Cała szosa pełna chytrusów. Jechaliśmy z prędkością hulajnogi. Z chłodnicy buchała para, a Papiszon mało nie pękł ze złości. Potwory świrowały na tylnym siedzeniu, robiły zeza i wywalały jęzor na jakiegoś faceta, który jechał za nami... Mniej więcej po godzinie tata spojrzał we wsteczne lusterko i okazało się, że tym facetem jest księgowy z jego biura. Mizioły dostały po uszach, po czym Papiszon wyprzedził parę samochodów, niemal narażając życie, byle tylko zejść facetowi z oczu. Do Warszawy dojechaliśmy nad ranem. Papiszon odgraża się, że następne wakacje spędzimy w Zielonce pod Warszawą.

Rodzina stęskniła się za cywilizacją. Ledwo przyjechaliśmy – Papiszon rzucił walizy w przedpokoju i pobiegł do swojego komputera. Założę się, że dał mu buzi! Potwory siedzą ciurkiem przed telewizorem, oglądają wszystko jak leci, nawet kurs rolniczy i wiadomości z Sejmu. Mamiszon moczy się w wannie. Tata przywiózł znad morza dyplom i złoty medal za zajęcie I miejsca w konkursie budowania zamków z piasku. Medal jest z kapsla, a dyplom ma ramkę z różowych muszelek. Papiszon powiesił swoje trofea w pokoju nad telewizorem, tam gdzie do tej pory wisiał obrazek. Ten obrazek to jeden z kłopotliwych prezentów Kornelii. Sama go namalowała. Przedstawia pastuszka z owieczką na tle gór. Pastuszek ma zeza, a owieczka tylko trzy nogi – ale co zrobić, trzeba było powiesić! Jak mama wyjdzie z wanny, będą się kłócić – kapsel czy kulawa owieczka? A przecież wiadomo, że najlepiej wyglądałby plakat z Bondem!

Obliczyłem, że do następnych wakacji zostało 301 dni!

CAŁUJĘ – TWÓJ MIZIOŁEK

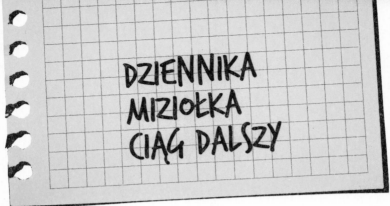

DZIENNIKA MIZIOŁKA CIĄG DALSZY

PIĄTEK, 29.08
JANA, SABINY

Zakupy z wściekłym Mamiszonem.

Kapcie do przedszkola dla Kaszydła kupiliśmy migiem, ale po zeszyty staliśmy godzinę. Podręczniki już mam, brakuje tylko matmy i biologii. Kaszydło zażądało nowego kostiumu na rytmikę, ja upomniałem się o kalkulator. Mamiszon zły, bo nie lubi wydawać forsy. Praktyczne zakupy – co za nuda! Co innego zakupy niepraktyczne – mama nigdy się nie zawaha, kupując gipsowe popiersie Marii Konopnickiej z obtłuczonym nosem.

Kurczę blade, za trzy dni do szkoły!

SOBOTA, 30.08
RÓŻY, SZCZĘSNEGO

Przez cały pobyt w Jelitkowie Mamiszon robił tacie wyrzuty, że nie jedziemy na wakacje do ciepłych krajów jak Fabisiakowie. No i dzisiaj wpadła pani Fabisiakowa – prosto z Grecji. Od razu zaczęła narzekać. Od porcji krewetek dostali salmonelli, panu Fabisiakowi zeszła skóra z czoła, a Bobik, ta psia kreatura, całymi dniami siedział przy budce z szaszłykami i o mało nie zdechł z przeżarcia. Papiszon współczuł obłudnie, ale źle skrywał satysfakcję. Mama musiała odszczekać wszystkie zarzuty pod adresem Jelitkowa.

NIEDZIELA, 31.08
BOHDANA, RAJMUNDA

Wczoraj rodzice do późnej nocy grali w remika z ciocią Klimą i jej mężem. Ciocia jak zwykle zaglądała wszystkim w karty, dawała znaki wujowi podczas licytacji i bezwstydnie oszukiwała. Mimo to przegrali straszliwie, a że grali na przysiady – wujostwo kucali do upadłego. Te przysiady to był pomysł ciotki. Poprzednio grali na prztyczki, a jeszcze wcześniej na fikołki. Wówczas ciotka Klima fiknęła w przeszklony kredens i narobiła mnóstwo szkód.

Rano mama zaspała, co Potwory natychmiast wykorzystały i zrobiły sobie ulubione śniadanie – lizaki, jogurt i parówki. Małego Mizioła trochę zemdliło, ale Kaśka nawet się nie skrzywiła.

PONIEDZIAŁEK, 1.09

IDZIEGO, BRONISŁAWA

Latem spaliła się pralnia, która sąsiadowała z naszą szkołą. Dwie sekcje straży pożarnej ugasiły pożar. A szczęście było tak blisko! Gdyby pożar się przeniósł trochę w lewo, a strażacy nie byli tacy nadgorliwi, to wakacje mogłyby potrwać jeszcze trochę.

Pani Barszcz po dwóch miesiącach wydała mi się nawet ludzka. Mikuś ogolił się na łyso, a Zarazek dostał mutacji. Najwięcej ubawu mieliśmy z Miśki – okropnie się przez te wakacje zaokrągliła z przodu i z tyłu. Zwłaszcza z przodu jest jej dużo więcej.

WTOREK, 2.09

STEFANA, JULIANA

Ale numer! Mamy w klasie nowego. Nowy jest czarny jak czereśnia! Na dodatek nazywa się – uwaga! – Stanisław Łokietek. Murzyn... Stasio... Ja nie mogę!

Jak pani Barszcz wyczytała z listy tego Łokietka, tośmy wyli ze śmiechu przez kwadrans. Pani Barszcz waliła linijką w pulpit, aż ją złamała, a cała klasa płakała ze śmiechu. Łokietek nawet się nie skrzywił, widać przywykł. Chłopaki zaraz zaczęły wymyślać dla niego ksywkę... ale jakoś nic nie pasowało. Został przy swoim prawdziwym Łokietku.

ŚRODA, 3.09
IZABELLI, SZYMONA

Kuczmierowski przyniósł dzisiaj wiadomość, że mama nowego – pani Łokietkowa – jest lekarką w szpitalu. Na imię ma Malou i pochodzi z Senegalu. Zgadnijcie, jak nazywa się jego ojciec...? Władysław! A jakże!

Sam Łokietek nic nie mówi. Nie wiemy nawet, czy łapie po polsku, bo nauczyciele na razie nie wyrywają go do odpowiedzi.

CZWARTEK, 4.09
ROZALII, LILIANY

Pasibrzuch z szóstej d, ten, co to usuwa migdałki gołymi rękami, dał dziś Łokietkowi propozycję nie do odrzucenia. Zażądał forsy za ochronę. To znaczy, że Łokietek ma płacić, a Pasibrzuch w zamian za to nie będzie go bił. Na to Łokietek bez słowa zgiął ramię w wiadomym geście. Teraz wiemy przynajmniej, że nowy rozumie po polsku. Pasibrzucha zamurowało, co nie znaczy, że odpuścił. Łokietek będzie miał kłopoty. Fifa próbował mu to wytłumaczyć, no bo skąd nowy ma wiedzieć, kim jest Pasibrzuch. A Pasibrzuch to jest postrach całej szkoły. Wszyscy się go boją i trzeba być samobójcą, żeby go zlekceważyć. Może i Łokietek rozumie po polsku, ale nie do końca, bo nie wyglądał na przestraszonego.

W pokoju Potworów dziwny zapach. Mama próbuje ustalić przyczynę za pomocą wahadełka.

PIĄTEK, 5.09
DOROTY, WAWRZYŃCA

Cała szkoła widziała, jak na dużej przerwie Pasibrzuch podszedł do nowego i zażądał forsy. Łokietek udał, że nie słyszy. A potem wszystko odbyło się bardzo szybko – Pasibrzuch wymierzył Łokietkowi cios w nos, ale piącha nie zdążyła dotknąć nosa, bo Stasiek się uchylił, kucnął, obrócił, wyrzucił w górę nogę i przyłożył stopą w ucho Pasibrzucha. Ucho od razu zaczęło puchnąć jak na filmie rysunkowym. Pasibrzuch dostał szału i rzucił się na Łokietka jak dzika bestia. Łokietek odskoczył w tył, wydał z siebie okrzyk, wykonał niedostrzegalny ruch dłonią i przyłożył Pasibrzuchowi w drugie ucho. I to jak! Wszyscy zaczęli gwizdać i klaskać. Pasibrzuch stał kompletnie zbaraniały, a uszy płonęły mu jak dwie czerwone latarnie. Na to weszła pani Barszcz, spojrzała na Pasibrzucha i powiedziała: „Wyglądasz jak barszczyk z uszkami". Był to pierwszy żart w życiu, jaki usłyszałem z ust pani Barszcz. A potem zaczęliśmy podrzucać Łokietka i każdy chciał mu przybić piątkę. Okazało się, że on mówi po polsku nie gorzej od nas. Urodził się w Łodzi.

SOBOTA, 6.09
BEATY, EUGENIUSZA

Łokietek obiecał zaprowadzić nas do klubu kung-fu, gdzie trenuje. A wiosną mamy zamiar założyć drużynę koszykówki. Pućka zgłosiła się jako pierwsza.

W pokoju Potworów po prostu cuchnie, żeby nazwać rzecz po imieniu. Kaśka wzięta na męki milczy uparcie. Zwinęliśmy wykładzinę, zajrzeliśmy za szafę. Mama przewróciła materace do góry nogami. Nic! A śmierdzi jak jasny gwint!

NIEDZIELA, 7.09
REGINY, MELCHIORA

Papiszon wezwany w charakterze eksperta odnalazł przyczynę smrodu. Potwory robiły misiom zastrzyki jednorazową strzykawką. Za lekarstwo posłużyła woda z kranu. Jak misio nasiąkł fest – brały kolejnego, a mają trochę tego towaru.

Trociny w misiach zbutwiały i stąd ten smród. Mamiszon ma robotę na całe popołudnie – rozpruwa misie, opróżnia, pierze, a jak wyschną, napełni je gąbką.

Potwory za karę robią wielkie porządki w zabawkach.

PONIEDZIAŁEK, 8.09

MARII, NESTORA

Pani Barszcz tylko tydzień wytrwała w miłosierdziu. Dziś pokazała swoje prawdziwe oblicze, wywalając Fifę z klasy za niewinne żarty. No bo nie zrobił nic złego – wbił szpilkę w wypukłości Miśki, żeby sprawdzić, czy nie nadmuchane. Okazało się – prawdziwe! Nie do wiary, jak człowiek może się zmie-nić przez wakacje.

Kuczmierowski przyszedł do szkoły załamany, bo jego mama będzie miała dziecko. Do tej pory Kuczmierowski miał własny po-kój, a teraz będzie go dzielił z „ki-janką". On tak mówi o swoim przy-szłym rodzeństwie. Stanowczo ro-dzice nie powinni rozmnażać się bez umiaru!

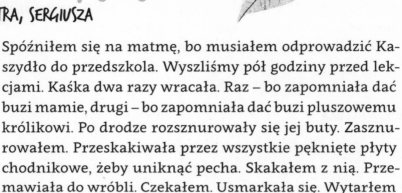

WTOREK, 9.09
PIOTRA, SERGIUSZA

Spóźniłem się na matmę, bo musiałem odprowadzić Ka-szydło do przedszkola. Wyszliśmy pół godziny przed lek-cjami. Kaśka dwa razy wracała. Raz – bo zapomniała dać buzi mamie, drugi – bo zapomniała dać buzi pluszowemu królikowi. Po drodze rozsznurowały się jej buty. Zasznu-rowałem. Przeskakiwała przez wszystkie pęknięte płyty chodnikowe, żeby uniknąć pecha. Skakałem z nią. Prze-mawiała do wróbli. Czekałem. Usmarkała się. Wytarłem jej nos. Spotkała koleżankę ze starszaków. Wysłuchałem rozmowy o lalkach Barbie. No, ale bez przesady! Jak zaczęła robić bukiet z liści – szlag mnie trafił.

Kiedy ją wreszcie dowlokłem do przedszkola, jej grupa była w połowie śniadania. Pędem do szkoły – niestety, za późno.

Powiedziałem mamie, że ow-szem, mogę odprowadzać Kaśkę do przedszkola, ale w kagańcu i na krótkiej smyczy. Mamiszon okazał absolutny brak zrozu-mienia. Przeszył mnie na wylot lodowatym spojrzeniem. Nie do-stałem deseru za arogancję. To wcale nie arogancja, to mój zmysł praktyczny.

ŚRODA, 10.09
ŁUKASZA, MIKOŁAJA

Mamiszon od godziny próbuje dodzwonić się do znajomego psychologa. Interwencja psychologa jest konieczna, zdaniem mamy. Kaśka przy kolacji zaklęła jak szewc, i to szewc z dalekiego Targówka. Rodzinie szczęka opadła. Tylko Potwór zignorował tę gafę. Drobiazgowe śledztwo wykazało, że to koledzy z przedszkola nauczyli Kaszydło kląć, robić zeza i pluć na odległość do celu. Ona nie rozumie, o co taki raban. Co do plucia, to uważam, że to całkiem pożyteczna umiejętność.

CZWARTEK, 11.09
JACKA, PIOTRA

Psycholog doradził mamie, żeby pominęła milczeniem nowo nabyte słownictwo Kaśki. Kaszydło coś przeczuwa, bo testuje cierpliwość rodziców, popisując się coraz to nowymi wyrazami. Można by pomyśleć, że ci jej kolesie z przedszkola odsiadywali wieloletnie wyroki... Mama wypożyczyła z biblioteki *Wstęp do psychologii* i *Pedagogikę specjalną*. Czyta i robi notatki. Wygląda na to, że od jutra będziemy wychowywani naukowo. To ja zrywam się do dziadków!

Wiadomość z ostatniej chwili: Mały Potwór powtarza: „kupa pupa, siurek murek". Mamiszon dzwonił do psychologa.

PIĄTEK, 12.09
MARII, GWIDONA

Beata pożyczyła ode mnie kątomierz, chociaż świetnie widziałem, że miała własny. Jak mam to rozumieć? Mama mówiła kiedyś, że jak się starała o rękę Papiszona, to też pożyczała od niego różne rzeczy i nie oddawała. I on musiał po nie przychodzić, a wtedy był obezwładniany rosołem oraz ciasteczkami domowej roboty. Ani się obejrzał, a już się ożenił. Po ślubie wydało się, że ten rosół i ciasteczka to babcia robiła, a mama jest kulinarny głąb.

SOBOTA, 13.09
FILIPA, EUGENII

Mały Mizioł ma szczęście, że jest mały. Dzięki temu ocalił pupsko. Papiszon zostawił nieopatrznie radio tranzystorowe na brzegu stołu. Potwór ściągnął je i zaniósł do łazienki. Tam włożył je do pralki i roztropnie się oddalił. Mama załadowała pralkę pościelą i nastawiła na gotowanie. Dzięki temu już wiemy, że ugotowane radio nie gra. A odwirowany tranzystor to nawet nie przypomina tranzystora.

NIEDZIELA, 14.09

CYPRIANA, BERNARDA

Pojechaliśmy na działkę zbierać śliwki. Nie powiem, żeby było zbyt ciekawie – do południa zbieraliśmy śliwki, na obiad były knedle ze śliwkami, a wieczorem drylowaliśmy śliwki. Za tydzień będziemy zbierać winogrona. Jak ja nie lubię tego sezonu na przetwory!

Fabisiakowie za płotem przez cały dzień robili Bobikowi zdjęcia, a potem karmili go łyżeczką, bo on nie przepada za psim żarciem. Woli Whiskas.

PONIEDZIAŁEK, 15.09

ALBINA, NIKODEMA

Obudziłem się z głębokim przekonaniem, że nie powinienem dzisiaj iść do szkoły. Powiedziałem o tym mamie, która przecież jest przesądna. Mamiszon na to, żebym nie dorabiał teorii do swojego chronicznego lenistwa. No dobra! Sami tego chcieli! Dostałem pałę z fizyki, z szatni zginął mi prawy trampek, a pies woźnej wysiusiał się na mój plecak. Na dodatek Zarazek powiedział przy całej klasie, że latam za Beatą, co jest kompletną bzdurą. To Zarazek lata, ale bez powodzenia. Dziewczyny mało się nie zachichotały na śmierć. Plotkary! Mama musiała przyznać, że nie należy lekceważyć przeczuć. Tylko Papiszon patrzył na nas jak na parę ciemniaków, bo on nie wierzy w przeczucia.

WTOREK, 16.09
EDYTY, KORNELA

Kaszydło obudziło się przed szóstą, zakradło do łóżka rodziców i obudziło mamę. Mama kompletnie zaspana spojrzała na Kaśkę i zaczęła nieprzytomnie wrzeszczeć. Nie dziwię się! Kaszydło miało w dziobie wielkie plastikowe zęby wampira. Papiszon, obudzony wrzaskiem mamy, okropnie się zdenerwował. Tylko mały „wampir" jest bardzo z siebie zadowolony. Jeszcze nie wie, że zęby zostały wyrzucone do kosza.

ŚRODA, 17.09
JUSTYNA, FRANCISZKA

Zarazek zwariował! Wczoraj wybraliśmy go
na przewodniczącego szkolnego samorządu.
Wybraliśmy go ot, tak sobie, żeby było śmiesznie. No i trochę po to, żeby dokuczyć Upiornej
Emilce. Ona bardzo lubi być przewodniczącą.

Zarazek wcale się nie spierał, nawet sam na siebie za-
głosował... No i to powinno nam dać do myślenia. Ledwo
ogłoszono wyniki – Zarazkowi odbiło! Zbiera składki, spi-
sał wszystkich, którzy nie mają kapci, Fifie
udzielił nagany z ostrzeżeniem za plucie
przez okno, a Miśkę zaprowadził do dyra,
bo nie nosi tarczy! Kuczmierowski obiecał
mu łomot, nic nie pomogło – Zarazek wyjął notes i zapisał Kuczmierowskiego
w rubryce „Niezdyscyplinowani".

CZWARTEK, 18.09
IRENY, JÓZEFA

Zarazek zarobił pałę z biologii, bo
nikt mu nie podpowiedział. Nikt
mu też nie podał piłki podczas me-
czu z szóstą c. Bieeedne bydlątko!
Takie rzeczy zdarzają się czasem
nadgorliwym przewodniczącym
szkolnego samorządu.

Wracam ze szkoły i co zastaję? Mama szatkuje kapustę i powtarza na głos angielskie czasowniki nieregularne. Papiszon czyści rower w przedpokoju. Kaśka biega po domu w butach Mamiszona i bawi się z Potworem w ślub.

Czy ja mogę w tych warunkach przygotować się do klasówki z układu rozrodczego królika? Nie mogę! Co robię? Robię ściągę!

PIĄTEK, 19.09
JANUAREGO, KONSTANCJI

Klasówka z biologii. Siedziałem z Patrycją, a ona nigdy nie daje odpisać. Moja mistrzowsko wykonana ściąga uchroniła mnie od lufy. W każdym razie wypadnę lepiej niż Klakson, który podzielił króliki na okrytozalążkowe i nagozalążkowe. Fifa, który zna się na zoologii tak jak ja na fizyce kwantowej, napisał: „Królik rozmnaża się tak samo jak człowiek, tylko szybciej"... Po czym przelał na papier całą swoją rozległą wiedzę z dziedziny rozmnażania człowieka. Wykonał nawet kilka rysunków poglądowych.

SOBOTA, 20.09
FILIPINY, EUSTACHEGO

Rodzina poszła na spacer do Łazienek. Wykręciłem się bólem głowy. Obrzydło mi karmienie kaczek. Poza tym popołudnie w pustym domu nieczęsto się zdarza. Można wypić całą coca-colę i puszczać bąble nosem, muzykę odkręcić na ful, włazić do pokoju Papiszona i bawić się jego komputerem, nogi opierać na biurku, czytać *Życie seksualne dzikich...* Nie to, żeby mi nie pozwalali, ale obecność rodziców mnie krępuje.

NIEDZIELA, 21.09
HIPOLITA, MATEUSZA

Obudziły mnie krzyki mamy. Jak w każdą niedzielę biega po domu i obiecuje, że potopi Potwory. Mały Potwór budzi się codziennie przed szóstą i pruje dziób, póki nie dostanie swojej butelki z mlekiem. Oczywiście budzi Kaszydło, które może by nawet pospało, ale nie da rady. Potwór ma silnie rozwinięty organ głosowy. Po chwili obie dziewczyny są ubrane i zaczyna się cyrk. Mama przemawia do nich, tłumacząc, że jest niedziela, chce sobie pospać i żeby się pobawiły grzecznie godzinkę lub dwie. Dziewczyny obiecują. Ledwo Mamiszon dojdzie do łóżka, Kaśka wyciąga cymbałki, wali w nie ile sił i śpiewa Pixi Lambadaaa! Potwór skacze w łóżeczku jak Tarzan, kwicząc z radości. Wbiega mama, dziewczyny obiecują, mama się kładzie, dziewczyny wyjmują z szafki bębenki, Pixi Lambadaaa! Wbiega mama, dziewczyny obiecują i tak dalej.

Jutro daję ogłoszenie do gazety: „Dwunastolatek, lubiący się wyspać, bez nałogów, da się zaadoptować bezdzietnej, NORMALNEJ rodzinie".

PONIEDZIAŁEK, 22.09

TOMASZA, MAURYCEGO

Dzisiaj Mamiszon kupił kolejną puszkę „Klopsików lubuskich". Ósma puszka i ósma etykieta w tym miesiącu. Piętnaście etykiet upoważnia do udziału w losowaniu zlewozmywaka.

Argument Papiszona, że przecież mamy już zlewo-zmywak, na nic się nie zdał. Mama lubi hazard.

Zabieram terpentynę, olejek i proszek do pieczenia. Idę do Piromana. Będziemy robić fajerwerki.

WTOREK, 23.09

TEKLI, BOGUSŁAWA

Żegnaj, tygodniówko! Przed chwilą przyszła mama Piromana. Przyniosła szczątki obrusa w charakterze dowodu rzeczowego. Słusznie. Nikt by jej nie uwierzył, że proszek do pieczenia może narobić tyle szkód. Einstein powiedział, że rzeczy genialne robi się prosto. Ekheeem... Byle nie ZA prosto! Oczywiście Piroman nie przyznał się, że dodał potasu dla lepszego efektu! Moim zdaniem Piroman ma temperament naukowca. Gdyby go nie wyrzucili z kółka chemicznego, byłby z niego drugi Mendelejew. No i co z tego, że obrus spłonął? Trzeba czasem złożyć ofiarę na ołtarzu nauki.

Papiszon zawiesił mi tygodniówkę. Można by pomyśleć, że on nigdy nie zrobił nic głupiego. A przecież babcia opowiadała, jak w podstawówce nasypał sąsiadowi cukru do baku. Dorośli to hipokryci!

ŚRODA, 24.09

GERARDA, TEODORA

Mama wyszła i zostawiła kartkę na lodówce:

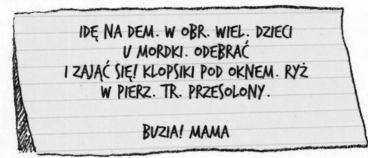

IDĘ NA DEM. W OBR. WIEL. DZIECI
U MORDKI. ODEBRAĆ
I ZAJAĆ SIĘ! KLOPSIKI POD OKNEM. RYŻ
W PIERZ. TR. PRZESOLONY.

BUZIA! MAMA

Co do dzieci i klopsików wszystko było jasne. Papiszon odebrał Potwory od pani Mordki. Ryż znaleźliśmy w pierzynie.

Po obiedzie wyjaśniło się, że „tr. przesolony" oznacza „ryż tragicznie przesolony". „Dem. w obr. wiel." okazał się demonstracją w obronie humbaków – ginącego gatunku wielorybów. (Od ubiegłego piątku Mamiszon jest gorliwą ekolożką).

Tata w rewanżu przypiął kartkę do lodówki:

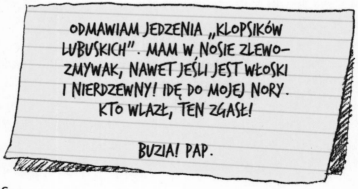

ODMAWIAM JEDZENIA „KLOPSIKÓW
LUBUSKICH". MAM W NOSIE ZLEWO-
ZMYWAK, NAWET JEŚLI JEST WŁOSKI
I NIERDZEWNY! IDĘ DO MOJEJ NORY.
KTO WLAZŁ, TEN ZGASŁ!

BUZIA! PAP.

CZWARTEK, 25.09
AURELII, WŁADYSŁAWA

W szkole zaczął się sezon na praktykantów. Lekcje z praktykantami w niczym nie przypominają lekcji bez praktykantów. Wszyscy siedzą grzecznie jak anioły, a pani mówi do nas: „drogie dzieci" i nie ciągnie za uszy. I słusznie, bo gdyby praktykantom pokazać prawdziwą lekcję, natychmiast odstąpiliby od zamiaru zostania nauczycielami.

Normalna lekcja wygląda tak, że Zarazek w ostatniej ławce słucha rapu z empetrójki, Bliźniaki tłuką się kapciami, Fifa gra z Piromanem w pokera, a Kuczmierowski wrzuca dziewczynom pinezki za kołnierz. Pani Barszcz na pierwszej lekcji perswaduje, a na ostatniej leje po łapach. My jej nawet nie mamy tego za złe. W końcu nie jej wina, że ma taki niefartowny zawód.

PIĄTEK, 26.09
JUSTYNY, CYPRIANA

Krośkiewicz przyszedł do szkoły z kolczykiem w uchu i sitowiem na głowie. Od razu zaczęliśmy przyjmować zakłady o to, na której lekcji Krośkiewicz wyfrunie z klasy.

Pierwsza była geografia... i nic. Na polskim sitowie Krośkiewicza oklapło.

Wyjął tubkę żelu i postawił włosy szczerbatym grzebykiem. Facetka od polaka nic nie zauważyła.

Trzecia lekcja to była matma z panią Barszcz. Ledwie tylko weszła do klasy – podbiegła do Krośkiewicza, dźgnęła go linijką i zapytała: „A któż to się wygłupił, któż?". Po czym wydała rozkaz: „Krośkiewicz, zdejmij biżuterię, wsadź głowę pod kran, a potem porozmawiamy o równaniach z dwiema niewiadomymi".

To nie była kara, to była ZEMSTA!

SOBOTA, 27.09

KOSMY, DAMIANA

Mamiszon wyszedł po zakupy, a ja zajmuję się dziewczynami. Potwór dobrał się do moich resoraków. Kaszydło pomalowało sobie korektorem pazury. Jak odganiałem Potwora od moich flamastrów, to Kaszydło rysowało mi kwiatki w zeszytach. Jak zająłem się pacyfikowaniem Kaszydła, to Mały Mizioł wczołgał się pod łóżko, gdzie trzymam komiksy.

Mamy nie ma raptem półtorej godziny, a moje straty to: urwane drzwi od najnowszego resoraka volkswagena garbusa, wypaprany korektor, podarty *Spiderman*, a w zeszycie od matmy: kwiatki, Myszka Miki i rozciapciany piernik w czekoladzie! Plus trwały uraz w mojej psychice.

NIEDZIELA, 28.09

MARKA, WACŁAWA

Nie pojechaliśmy na działkę, bo leje. Obiad zjedliśmy u dziadków. Babcia żyje w przekonaniu, że my w ogóle nie jadamy i tylko jej niedzielne obiady ratują nas od śmierci głodowej. Nauczeni doświadczeniem, przed babcinym obiadem jemy bardzo skąpe śniadanie. Potwory wyjątkowo nie grymaszą, bo na nic by się to nie zdało. Babcia zamknęła Ogryzka w łazience, bo „nie lubi, jak gryzoń zagląda jej w talerz".

Mamiszon taktownie przemilczał sprawę fajerwerków. Dzięki temu dziadek nadal mnie sponsoruje. Tylko dziadek rozumie moje finansowe potrzeby, bo całe życie był rozrzutny. Ogryzek zamknięty w łazience zjadł mydło. Wygląda na zadowolonego! Z nosa wychodzą mu bańki mydlane.

PONIEDZIAŁEK, 29.09

MICHAŁA, MICHALINY

Na obiad była jajecznica. Gdybym jej sobie nie usmażył, toby nie było obiadu. Mamiszon od wczoraj tłucze w maszynę do pisania. W kuchni pobojowisko, zdesperowana rodzina usiłuje sobie coś przyrządzić do jedzenia. Kaśka kręci kogel-mogel, a tata zjada zimne parówki i wygląda na

bardzo niezadowolonego. Tylko Mały Potwór dostaje swoje racje żywnościowe w porę. Wszystko dlatego, że mama postanowiła zarobić na kafelki do łazienki i pisze powieść. Gdzieś usłyszała, że bodajże Szekspir zadebiutował po trzydziestce, i to jej podziałało na wyobraźnię. Powieść ma być poczytna, bardzo wzruszająca, jak będzie się dobrze sprzedawać, to może starczy na miniwieżę dla mnie. Papiszon protestował, ale mama powiedziała, że nie ma zamiaru ani tygodnia dłużej czekać na remont łazienki. Prawdę mówiąc, to kafelki są kupione – od dwóch lat leżą w tapczanie. Chodzi o forsę na faceta, który je położy. Mama twierdzi, że to wina Papiszona, który ciągle dokupuje sobie następne kilo pamięci do komputera. Fakt, dokupuje!

Powieść ma dopiero dwadzieścia stron. Wygląda na to, że do Gwiazdki będziemy jeść kogel-mogel i jajecznicę.

WTOREK, 30.09
ZOFII, HIERONIMA

Ciocia Ania przeczytała pierwszy rozdział maminej powieści. Czegoś tu nie rozumiem – mama zapewniała, że to jest bardzo smutna powieść, a ciocia Ania wyglądała na rozbawioną. Mamiszon się obraził i zamknął w pokoju.

Ciocia pozmywała górę naczyń i zabrała nas na pizzę. W drodze powrotnej Kaszydło namówiło ciocię na grę w „chłopka" na naszym podwórku. Grały do zmroku. Ciocia zdjęła buty, zebrała fałdy spódnicy i skakała jak zając w tłumie pięcioletnich koleżanek. Ta rodzina nie jest normalna!

Niestety, natchnienie nie opuszcza mamy. Papiszon kupił duży zapas zup w proszku.

ŚRODA, 1.10
DANUTY, REMIGIUSZA

Ten, kto wymyślił młodsze rodzeństwo, powinien być wtrącony do lochu. Moja mała, słodka, cwana, wredna siostra doniosła mamie, że zamiatam śmieci pod łóżko. Mama przeleciała przez pokój niczym inspektor sanepidu, wygarnęła spod tapczanu wielkie koty z kurzu i ukarała mnie dwudniowym zakazem oglądania telewizji. Żadnej wdzięczności! A że przy okazji znalazł się jej pantofel i gwarancja od miksera, to pies? Niech no tylko Kaszydło przyjdzie się łasić do mojego pokoju, wytargam ją za ten, pożal się Boże, mysi ogon! Donosicielka!

CZWARTEK, 2.10

TEOFILA, DIONIZJI

Papiszon oświadczył, że jeżeli mama natychmiast nie rzuci w diabły tej grafomanii, to on się oflaguje i zacznie strajk okupacyjny w kuchni. Mama na to, że proszę bardzo, może nawet zacząć głodówkę. Papiszon odpowiedział, że głodówkę to cała rodzina zaczęła z chwilą, gdy mama porzuciła garnki dla literatury. Od godziny negocjują. Słychać ich na parterze.

PIĄTEK, 3.10

TERESY, HELIODORA

Dziś w nocy podpisali porozumienie. Tata zobowiązał się uruchomić tajne rezerwy finansowe na położenie kafelków. Mamiszon wraca do garów, a pisać będzie tylko w niedziele. Ponadto Papiszon musiał odszczekać wszystko, co powiedział o mamy talencie literackim. O ten punkt porozumienia kłócili się najdłużej. A potem nastąpiła długo oczekiwana chwila – mama zrobiła knedle ze śliwkami i zupę pomidorową.

102

SOBOTA, 4.10
ROZALII, EDWINA

Tata przyłapał mamę, jak paliła w toalecie, stojąc na kibelku i wydmuchując dym do kratki wentylacyjnej. Papiszon wezwał całą rodzinę – mnie, Kaszydło i nawet Małego Potwora, który nic nie kuma. Wskazał na skruszonego Mamiszona i powiedział: „Patrzcie, dzieci – oto człowiek zniewolony przez nałóg, w szponach zgubnego przyzwyczajenia"... Potwór zaczął klaskać w tłuste łapki i zepsuł tacie efekt dramatyczny. Mama musiała po raz setny obiecać, że już nie będzie, i własnoręcznie wyrzucić napoczętą paczkę papierosów do kosza.

NIEDZIELA, 5.10
IGORA, FLAWII

Mamiszon pyta, czemu jestem zły! Wcale nie jestem zły. Jeszcze nie zgłupiałem, żeby się złościć tylko dlatego, że jakaś tam Beata siedzi na skwerku koło kotłowni z jakimś tam Klaksonem! Szczerze mówiąc, nic mnie to nie obchodzi! I w ogóle jest mi obojętne, że ten skunks, ten mutant, ten fałszywy przyjaciel, niech ja go tylko dorwę, trzyma ją za rękę! Wielkie mi co – Beata! Jej się pewnie zdaje, że jak ma taki warkocz i takie oczy, to zaraz wszyscy zgłupieją i będą się o nią bić. Jeszcze nie zwariowałem. Przyłożę tylko Klaksonowi ze dwa razy, bo nie lubię, jak siedzi na tym skwerku. Już z pół godziny siedzi i łasi się do Beaty. Wiem, bo patrzyłem przez lornetkę Papiszona. Nie podglądałem, tylko po prostu lubię patrzeć przez lornetkę. Nie moja wina, że siedzą akurat pod moim oknem. Na tym drzewie, pod którym siedzą, zawsze jest tyle ptaszków... Że też żadnego dzisiaj nie ma! Dużo bym dał, żeby teraz na Klaksona wróbel narobił.

PONIEDZIAŁEK, 6.10

ARTURA, BRUNONA

Mama została wezwana do przedszkola. Kaśka pokłóciła się z Sebastiankiem podczas spaceru i przyłożyła mu łopatką. Ja w tym wieku nie przysparzałem rodzinie żadnych kłopotów. No, może pomijając pewien skok z parasolem z werandy. We wszystkich filmach z psem Huckelberry parasol doskonale spełniał rolę spadochronu, a ja byłem dzieckiem ufnym, więc nie przyszło mi do głowy, że telewizja kłamie.

WTOREK, 7.10

MARII, MARKA

Fifa zakochał się w Beacie. No bo jak inaczej wytłumaczyć fakt, że gotów był pożyczyć jej Gutka – swojego szczura? A ona głupia nie chciała. W ogóle Beata zadziera nosa. Chodzi do sekcji lekkoatletycznej. A na treningi odprowadza ją kolega zapaśnik. Mały, krępy, niewywrotny, czółko na dwa palce. Co ona widzi w tym osiłku? Piroman też chciał się zapisać do tej sekcji, ale go nie przyjęli, bo tam trzeba się nieźle uczyć, a Piroman jest matematyczny głąb.

Facetka od biologii oddała klasówki – dwója! Nie będę się nią chwalił w domu, zaoszczędzę sobie kazania.

ŚRODA, 8.10

PELAGII, BRYGIDY

Kuczmierowski ma już coś jakby wąsy, a teraz zapuszcza bokobrody. On chce wyglądać jak książę Pepi. W naszej pracowni historycznej wisi taka ilustracja: „Książę Józef Poniatowski w nurtach Elstery". Hop! – skacze do rzeki konno i woła: „Bóg mi powierzył honor Polaków!". Po czym tonie... a na głowie nie drgną mu nawet ondulowane loki.

Kuczmierowski twierdzi, że jeszcze przed Gwiazdką wyrosną mu puszyste bokobrody – a to dzięki cudownej maści, którą kupił na bazarze. Ponadto jedną połowę twarzy przeciera sokiem z czarnej rzepy, a na drugą nakłada papkę z soczewicy. To są wypróbowane metody polecane przez babcię Kazię.

Kuczmierowski obiecał, że odpali mi trochę maści, jak napiszę za niego klasówkę z anglika. *Why not?*

CZWARTEK, 9.10
ARNOLDA, DIONIZEGO

Kuczmierowski spóźnił się do szkoły przeszło godzinę. Ubiegłej nocy starzy odwieźli go
na ostry dyżur. Spuchł i dostał okropnej wysypki. Myśleli, że to gwałtowny atak odry, a to tylko
uczulenie na tę jego czarodziejską miksturę. Nic mu
nie wyrosło, przeciwnie – wąsiki jakby mu się przerzedziły.
Wygląda na to, że niedoszły książę Pepi będzie pisał sam
klasówkę z anglika.

PIĄTEK, 10.10
PAULINY, FRANCISZKA

Mamiszon zarzucił tacie, że za mało zajmuje
się Potworami. Papiszon niemrawo się bronił,
coś tam mamrotał, że wiosną był w weso-
łym miasteczku, a przed miesiącem w teatrze lalkowym. To był błąd taktyczny.
Mama wypomniała mu, że w lunapar-
ku Kaśka pochorowała się po trzeciej
porcji lodów, a w teatrze Papiszon za-
snął w połowie drugiego aktu i obudziły
go dopiero końcowe oklaski. Po dłuższej
wymianie zdań Papiszon został kar-
nie oddelegowany z Kaszydłem na
Królewnę Śnieżkę. Przez chwilę
miałem ochotę iść z nimi, ale

niechby mnie ktoś ze szkoły zobaczył – nie daliby mi żyć.
Chłopaki z naszej klasy chodzą tylko na „kino akcji", a Kuczmierowskiego wpuszczają nawet na filmy od lat osiemnastu, bo mu wąsy rosną.

SOBOTA, 11.10
EMILA, ALDONY

Tak długo marudziłem, aż nakłoniłem mamę do upiecze-
nia szarlotki. Ja i tata nie dajemy szarlotce żadnych szans.
Nie minęła godzina, a zjedliśmy całą blaszkę. Papiszon
miał po fakcie wyrzuty sumienia, bo zawsze twierdził,
że nie pozwoli sobie na nadwagę. A jednak dopadła go ta
nadwaga, więc po szarlotce poszliśmy biegać na stadion.
Pusto. Ja spuchłem po czwartym okrążeniu, a Papiszon
przebiegł dziesięć i nawet się nie zasapał. No, ale ja się nie
muszę odchudzać!

W drodze powrotnej spotkaliśmy Beatę. Wygląda na to,
że moje nowe adidasy zrobiły na niej wrażenie.

NIEDZIELA, 12.10
EUSTACHEGO, MAKSYMILIANA

Padało, przespałem cały dzień. Mama
dała mi spokój, bo uważa, że wszedłem
w okres dojrzewania i moje hormony
domagają się snu. Może i wszedłem.
Jestem przygotowany na nadejście wą-
sów – dostałem od dziadka maszynkę.

Śmiertelnie znudzone Potwory sterczały pod drzwiami mojego pokoju i miauczały, żeby je wpuścić. Naiwniaki! Nieprędko się zgodzę. Chyba że za okupem – powiedzmy dwie gumy do żucia za wstęp.

PONIEDZIAŁEK, 13.10

GERARDA, EDWARDA

W szkole afera. Zginął dziennik. Podejrzenie padło na tych, którzy są zaginięciem dziennika żywo zainteresowani. Po pierwsze Zarazek. Ostatnią czwórkę dostał trzy lata temu. I to z wuefu. Po drugie Piroman. Orzeł to on nie jest. No i przerośnięty Mikuś, po dwa lata w każdej klasie.

Pani Barszcz odwołuje się do naszego poczucia przyzwoitości. Podobno w Stanach mają komputerową ewidencję stopni, tam by taki numer nie przeszedł. Nie powiem, żebym był przywiązany do moich trój, ale w ubiegłym tygodniu dostałem pierwszą w życiu pionę z historii i szkoda by było, żeby odeszła w niebyt.

WTOREK, 14.10

LIWII, KALIKSTA

Beata gadała na lekcji i pani za karę posadziła ją ze mną. W Zarazka jakby piorun strzelił. Fifa posłał mi mordercze spojrzenie. Poniekąd mają rację. Siedzenie z Zarazkiem jest na pewno bardziej dotkliwą karą niż siedzenie ze mną. Beata

poustawiała na ławce jakiegoś wymiętolonego misia, świnkę Pepę, plastikowego Gandalfa i jeszcze coś dziwnego,
kudłatego. W plecaku nosi lalkę Barbie. Co jest?! Królowa
Jadwiga w jej wieku była już żoną Jagiełły, a ta przynosi
do szkoły pół tuzina maskotek?

   Ale włosy to ma ładne – ciemnorude, splecione
w warkocz.

ŚRODA, 15.10

TERESY, JADWIGI

Ta wścibska rodzina mnie wykończy!
Kiedy rano wyszedłem z łazienki, zaczęli mi się nachalnie przyglądać i ob-
wąchiwać. Też mi coś. Owszem, pola-
łem się wodą kolońską Papiszona...
No to co z tego, niedługo Gwiazdka,
dostanie następną. I nieprawda, że
wszystko zużyłem, bo trochę zo-

stało na dnie. Kaszydło zaczęło wrzeszczeć, że ona też chce używać maminego żelu do włosów i też chce tak ładnie pachnieć. Uspokoiła się dopiero wtedy, gdy mama pożyczyła jej do przedszkola swoją broszkę. A najgorsze te głupie pytania – co się stało, że obciąłem paznokcie bez stosowania fizycznego przymusu, i czy aby na pewno wiem, do czego służy przyrząd zwany grzebieniem? Człowiek nie może zadbać o siebie od czasu do czasu?

CZWARTEK, 16.10
GAWŁA, FLORENTYNY

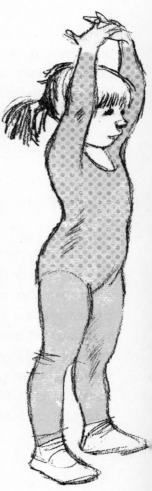

Przyszła ekipa do kafelków. Dwóch młodych facetów i majster, który wygląda jak prawdziwy aborygen. Skuwają tynk w łazience. W całym domu nieprawdopodobna demolka.

Papiszon zamknął się w swojej norze i udaje, że go nie ma. Potwór został ewakuowany do babci. Kaśka stoi w progu łazienki i popisuje się przed fachowcami swoją znajomością brzydkich wyrazów. Wygląda na to, że im zaimponowała. Tylko patrzeć, jak zacznie pić, palić i bić rodziców skakanką. Jak to jest dziewczyna, to ja jestem Pies Pluto. Mamiszon spokojnie zdejmuje z masła warstwę pyłu i wygląda na kogoś, kto zawsze stawia na swoim.

PIĄTEK, 17.10
WIKTORA, MARITY

Dziennik się znalazł. Był za rezerwuarem w ubikacji. Pani woźna próbowała namówić swojego nieprzytomnie spasionego kundla, żeby odegrał rolę psa tropiciela i wskazał sprawcę. Nic z tego. Pies co prawda nazywa się Szerlok, ale na tym koniec. Powinien nazywać się Lejek, bo w zeszłym miesiącu nalał mi na plecak.

Dziś znowu czekał na Beatę pod szkołą ten jej buraczany adorator. Ach! Przyłożyłbym mu w te kłapciate uszy, gdyby nie był taki napakowany.

SOBOTA, 18.10
JULIANA, ŁUKASZA

Fachowcy wzięli zaliczkę i przepadli. Jak w kiepskim żarcie – mówi mama. Papiszon wynosi gruz i pomstuje na Mamiszona, kafelki i dzień, w którym uległ maminemu szantażowi. Nie mam pojęcia, ile ten chlewik w domu może potrwać? A jeżeli dłużej niż miesiąc? Jak oni wyobrażają sobie moje imieniny na tym rumowisku? A goście? Gdzie będą siusiać, skoro łazienka wygląda jak po nalocie dywanowym? Moją listę prezentów pożądanych przeniosłem w bardziej eksponowane miejsce i dopisałem do niej pieszczochę.

NIEDZIELA, 19.10
PIOTRA, ZIEMOWITA

Mama zapytała, co to jest pieszczocha. Na jakim świecie ci starzy żyją, że nie znają podstawowych pojęć? Wyjaśniłem – bransoleta z ćwiekami. A Mamiszon – na co mi ta bransoleta z ćwiekami? Ręce opadają. A na co mamie bransoleta bez ćwieków, którą nosi od paru lat? Na to samo.

Aha, fachowcy się znaleźli. Aborygen wyraźnie sponiewierany na skutek nadużycia alkoholu. Mamiszon bezlitośnie odmówił kolejnej zaliczki. Pojawiła się szansa, że skończą przed imieninami.

PONIEDZIAŁEK, 20.10
IRENY, KLEOPATRY

Pani Barszcz straszliwie narzuca się facetowi od wuefu. Czai się pod salą gimnastyczną i wymyśla najgłupsze preteksty, żeby z nim porozmawiać. Myślałem, że to nie zdarza się w jej wieku. Ona ma ze trzydzieści lat, albo i lepiej. Wuefmen, zwany Pięknym Lolem, mógłby uchodzić za pięknego tylko w ciemnym tunelu. To jest dla mnie dowód na to, że miłość jest ślepa. Natomiast jedyna rzecz godna uwagi u pani Barszcz to jej rozmiar buta. 43? 44?

WTOREK, 21.10
URSZULI, HILAREGO

Beata już nie siedzi w mojej ławce. Szkoda, podpowiadała lepiej niż Piroman. No i jest od niego ładniejsza. Właściwie to każdy jest ładniejszy od Piromana.

ŚRODA, 22.10
HALKI, PRZYBYSŁAWY

Wieczorem rodzice wyszli do kina. Zdarzało się już, że zostawałem sam z Potworami. Z reguły zasypiają koło siódmej i do rana jest spokój. Tym razem Mały Mizioł obudził się i zaczął wrzeszczeć. No to posadziłem ją na moim łóżku i pobiegłem po *Encyklopedię zdrowia dziecka*. Rozdział *Spanie*: „Położyć do łóżeczka, powiedzieć dobranoc, zgasić światło i wyjść". Położyłem, powiedziałem, zgasiłem, wyszedłem. Potwór wrzeszczy. Dałem pić i znów: położyłem, powiedziałem, zgasiłem... Potwór wrzeszczy! Wypróbowałem na niej wszystkie znane metody usypiania dzieci. Nic nie pomogło.

W końcu włączyłem nocną telewizję, gdzie właśnie leciał horror, i oglądaliśmy go razem aż do powrotu rodziców. Potwór bardzo zadowolony i żwawy, ja trochę mniej.

CZWARTEK, 23.10
MARLENY, SEWERYNA

Glazurnicy w kibelku. My biegamy do sąsiadki. Papiszon jest bliski załamania nerwowego. Jeżeli remont potrwa jeszcze parę dni – tata eksploduje. Sześć razy dziennie odkurza swój komputer. Nie odpowiada na pytania.

PIĄTEK, 24.10
ARLETY, MARCINA

Kaszydło zakomunikowało całej rodzinie, że więcej do przedszkola nie pójdzie! Wszystko przez to, że na obiad był „śledź w ciapce" i pani Fela powiedziała, że które dziecko nie zje, pójdzie na rozmowę do pani „derektor". (Uwaga! Ciapka – w języku przedszkolnym sos śmietanowy z cebulą). Kaszydło bardzo nie lubi śledzia w ciapce, więc go żuło i żuło, i trzymało w gębie aż do podwieczorku. Na podwieczorek były biszkopty. Jak wiadomo, nie da się zjeść biszkoptów z gębą pełną śledzia, więc Kaszydło wypluło dyskretnie obiad do domku dla lalek. Niestety – nie dość dyskretnie, bo wszystko się wydało i była straszna afera, a teraz Kaszydło odmawia pójścia do przedszkola.

Mama napisała list do pani Feli:

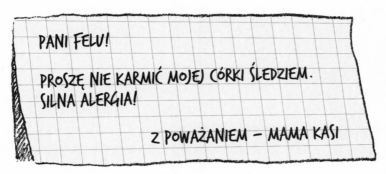

> PANI FELU!
>
> PROSZĘ NIE KARMIĆ MOJEJ CÓRKI ŚLEDZIEM. SILNA ALERGIA!
>
> Z POWAŻANIEM – MAMA KASI

Naturalnie to kłamstwo, ale kłamstwo szlachetne. Mamiszon też nie cierpi śledzia w ciapce.

SOBOTA, 25.10

DARII, SAMBORA

Ciocia Ania wróciła z Paryża. Przywiozła mi plastikową wieżę Eiffla, nakręcanego pieska i kąpielówki trzy numery za duże. Właściwie powinienem być zadowolony, biorąc pod uwagę, że Mamiszon dostał różową pelerynę z podobizną Asterixa na plecach, a Papiszon mandolinę z napisem

115

„Saint-Tropez". Ciocia twierdzi, że brzydzą ją praktyczne prezenty. Fakt, trudno tego nie zauważyć! Żeby ciocia nie czuła się dotknięta, nakręciliśmy pieska, mama przechadzała się w różowej pelerynie, a tata grał na mandolinie. Fachowcy oderwali się od glazury, żeby popatrzeć.

NIEDZIELA, 26.10

ŁUCJANA, EWARYSTA

Wygląda na to, że koniec remontu. Dzisiaj pierwszy raz od dwóch tygodni wysiusiałem się w komforcie. Łazienka wygląda super. Tak tu ładnie, że Potwory przytargały swój kosz z zabawkami i bawią się na nowych kafelkach. Mama szaleje po domu ze ścierką i gąbką. Tata ciężko odchorowuje gwałtowny odpływ gotówki.

PONIEDZIAŁEK, 27.10

IWONY, SABINY

Z wizytą u Kornelii. Kiedy jeszcze   nie miałem sióstr, często odwiedzaliśmy znajomych, a teraz możemy chodzić tylko tam, gdzie się zmieścimy. Na widok naszej piątki gospodarze wpadają w popłoch i biegną do sąsiadów pożyczać krzesła. U Kornelii jest inaczej, bo w jej domu panuje taki chaos, że pięć osób ekstra nie robi różnicy. Kapelusze trzyma się w starej lodówce, która co prawda nie chłodzi, ale po otwarciu nadal zapala się w środku światło. Bardzo praktyczny mebel. W cukiernicy czasem bywa cukier, ale częściej kwity z pralni, guziki do pościeli, a raz znala-

złem tam rachunek za szczepienie psa.
Mamiszon nazywa Kornelię osobą
niekonwencjonalną, co znaczy, że
jest zdrowo trzepnięta. Poza tym
Kornelia wróży, a mama, chociaż
magister, strasznie jest przesądna.

WTOREK, 28.10

SZYMONA, TADEUSZA

Piroman przeczytał książkę o hipno-
zie i twierdzi, że potrafi zdalnie stero-
wać panią Barszcz. To ma rozwiązać
problem jego promocji do następnej
klasy. Podobno wystarczy się skoncentrować i intensywnie powtarzać w myśli jakieś
polecenie, a pani Barszcz wykona je bez szemrania.

Na matmie Piroman wysłał telepatyczny rozkaz
przerwania lekcji. I rzeczywiście – w momencie
kiedy pani otworzyła dziennik, przybiegła woźna
z poleceniem od dyrektora, żebyśmy opuścili klasę,
bo piętro wyżej pękła rura i zaraz przecieknie do
nas. Piroman zaczął przyjmować przedpłaty na skrócony kurs hipnozy. Ponieważ jestem jego najlepszym
kumplem, łaskawie przyznał mi zniżkę – czekolada
i plakat Borussii Dortmund.

Po wczorajszym seansie wróżb u Kornelii mama
nie odzywa się do taty. Chodzi o jakąś damę pikową
w średnim wieku.

ŚRODA, 29.10
EUZEBII, WIOLETTY

Facetka od biologii odwołała pracę klasową. Piroman wyraźnie daje do zrozumienia, że to jego robota. Coraz więcej chętnych na kurs. Nawet Pasibrzuch się zapisał.

CZWARTEK, 30.10
ZENOBII, PRZEMYSŁAWA

Piroman przylufił z matmy. To nadwątliło jego autorytet hipnotyzera. Piroman tłumaczy się, że nie dość mocno się skoncentrował, bo był zajęty liczeniem forsy pod ławką. Co gorsza, Pasibrzuch też przylufił, i to z fizyki, chociaż Piroman miał obezwładnić władze umysłowe fizyczki. Pasibrzuch zażądał zwrotu przedpłaty i obiecał Piromanowi wycisk.

Po lekcjach jedziemy z Piromanem do biblioteki studiować książkę o zsyłaniu chorób na wrogów za pomocą szpilki i woskowej lalki.

PIĄTEK, 31.10
URBANA, SATURNINA

Pasibrzuch naderwał Piromanowi ucho. A byłoby jeszcze gorzej, gdyby Łokietek w porę nie interweniował. Piroman leczy ucho magicznym dotykiem, ale nie za bardzo pomaga. Spuchło mu do rozmiarów kalafiora.

Mama pół dnia wisi na telefonie i konsultuje się z jakąś wróżką na okoliczność tej damy pikowej, co to wyszła w kartach... Tata zagroził, że przestanie płacić abonament telefoniczny. Krzyczał, że ten dom jest ostatnią redutą ciemnogrodu. Mamiszon na to, że nie dziwi jej wybuch taty, bo w horoskopie wyraźnie była mowa o sprzeczce rodzinnej. No i tu Papiszon eksplodował. Zrobił pokaźną paczkę z książek mamy – był tam sennik egipski, tarot, wróżby z kart, coś o parapsychologii i medytacji transcendentalnej. Potem wyniósł to w sobie tylko znane miejsce i zapowiedział, że od dziś wprowadza do domu światopogląd materialistyczny, a metafizykę możemy uprawiać w podziemiu. Mama nazwała go tępym technokratą i jeszcze długo obrzucali się epitetami ze *Słownika wyrazów obcych*.

SOBOTA, 1.11
WSZYSTKICH ŚWIĘTYCH

Pojechaliśmy na Powązki specjalną linią cmentarną. W autobusie był straszny tłok, a jedna pani przez całą drogę szurała mi po twarzy chryzantemą. Przed bramą cmentarza stały tekturowe budy, w których sprzedawano znicze i kwiaty. Oprócz tego zegarki na gumce, plastikowe kajdanki, pistolety na kapiszony, balony z Myszką Miki, watę cukrową, sztuczne wąsy, wybuchające cygara, żurek z kiełbasą, gumę do żucia, breloczki w kształcie kościotrupa i kolorowe grzebyki. Mamiszon był bardzo zły na ten jarmark i mamrotał, że skoro tak wygląda Święto Zmarłych, to jak wyglądałoby Święto Żywych?

NIEDZIELA, 2.11

ZADUSZKI

Latem z gniazda na naszym podwórku wypadł wróbel. Kaśka i jej koleżanki nabazgrały na tekturce: „Tu spoczywa DZIOBEK" i pochowały wróbla koło trzepaka. No a dzisiaj, w Dniu Zmarłych, Kaszydło uparło się udekorować grób Dziobka kwiatami i zapaliło na nim znicz. Rodzice mają pedagogiczną rozterkę – pochwalić Kaszydło, czy zganić?

PONIEDZIAŁEK, 3.11

SYLWII, HUBERTA

Ogryzek przemoczył łapki na spacerze i kicha. Mama czyta *Skrócony kurs weterynarii*, bo nie wie, czy szczura można leczyć aspiryną. Na razie Ogryzek wypił napar z lipy i leży zawinięty w moherowy beret Mamiszona. Jeśli mama spróbuje postawić mu bańki, będę musiał interweniować.

WTOREK, 4.11
KAROLA, OLGIERDA

Klakson przyniósł pestki z dyni dla Ogryzka. Też by chciał mieć zwierzątko w domu, ale jego starzy nie pozwalają. To znaczy, powiedzieli: „Owszem, zgoda na zwierzątko, ale takie, które nie jest szczurem, poza tym nie gubi sierści, nie szczeka, siusia poza domem i je byle co". Tak wygląda właśnie perfidia rodziców – niby nie zabronią, ale i nie pozwolą.

Kupiliśmy sobie z tatą nowe, czerwone sznurowadła do trampek. No i wcięło! Po godzinie poszukiwań znalazły się u Kaśki – zrobiła z nich kokardki do kucyków. Co za głupol!

ŚRODA, 5.11
ELŻBIETY, SŁAWOMIRA

Zastanawialiśmy się z Klaksonem, czy istnieje zwierzę, które spełnia wymagania jego starych. Owszem: karaluch, żaba i wąż. Wyeliminowaliśmy karalucha i żabę ze względu na brak urody. Pozostał WĄŻ.

Klakson stłukł swoją świnkę skarbonkę, wyjął forsę i pojechaliśmy do sklepu zoologicznego. Okazało się, że Klaksonowi nie starczy kasy ani na kobrę, ani na pytona. Musiał zadowolić się pospolitym zaskrońcem (bardzo ładna sztuka). Stare pudło po telewizorze, które przytargaliśmy do sklepu z myślą o anakondzie, okazało się trochę za duże dla zaskrońca, ale zniósł podróż bez szwanku. Klakson nazwał go Napoleonem. Rodzice Klaksona na pewno się ucieszą.

CZWARTEK, 6.11
FELIKSA, LEONARDA

Niektórzy dorośli to straszni hipokryci! Starzy kazali Klaksonowi odwieźć zaskrońca z powrotem do sklepu, choć przecież nie jest szczurem, nie gubi sierści, nie szczeka, w ogóle nie siusia (w każdym razie nie zauważyliśmy) i je byle co – muchy, fasolę, budyń czekoladowy... Naturalnie Klakson ani myśli oddać Napoleona. Na razie ukrył go w piwnicy pani Wróblowej. Liczy na to, że może do jutra jego rodzice zmiękną?

PIĄTEK, 7.11
ANTONIEGO, ŻYTOMIRA

Mama odwiozła tatę do dentysty. Papiszon jest co prawda odważny jak lew, ale dentysty jakoś nie lubi. Wcale nie chciał iść, w drzwiach jeszcze się opierał, ale mama postraszyła go i skapitulował. Musiałem zająć się Potworami. Pozwoliłem im pozmywać naczynia. One to uwielbiają. Stłukły dwie filiżanki i cukiernicę. Trzeba powiedzieć, że robią postępy. W zeszłym tygodniu, kiedy się nimi zajmowałem, wytłukły sporo deserowych talerzyków. A mówiłem mamie, że trzeba kupować duraleks! Po zmywaniu wysuszyłem Małego Miziołka suszarką do włosów i zmieniłem jej buty na suche. Następnym razem będą zmywać w płaszczach przeciwdeszczowych!

SOBOTA, 8.11
SEWERA, HADRIANA

Po śniadaniu poszedłem z Klaksonem do piwnicy odwiedzić Napoleona. Pudło po telewizorze było puste. Nieźle się wystraszyliśmy, bo pani Wróblowa ma chore serce i jakby się natknęła na węża w kartoflach, to mogłaby tego nie przeżyć.

Przerzuciliśmy stertę ziemniaków, sztuka po sztuce, w drugi kąt piwnicy. Zeszło nam do obiadu. Napoleona ani śladu. Jak skończyliśmy z ziemniakami – zabraliśmy się do koksu. Rany boskie, po co pani Wróblowej trzy tony koksu? Przecież ma centralne ogrzewanie.

Prawie pod koniec trzeciej tony znaleźliśmy Napoleona. Był dziwnie gruby pośrodku. Chyba połknął kartofel! Klakson zabrał go do domu i schował w skrzynce radia. Radio od dawna jest zepsute, a skrzynka pojemna, w sam raz dla zaskrońca.

Mama pochwaliła mnie, że z własnej woli posprzątałem piwnicę pani Wróblowej. Nic nie wie o wężu.

NIEDZIELA, 9.11

URSYNA, TEODORA

Papiszon ma jutro kolejną wizytę u dentysty i kombinuje, jak by nie pójść... Przekonsultował ze mną symulowanie grypy. Odradziłem. Mama ma wprawę w rozpoznawaniu symulantów. Tata wymyślił, że jakby sobie dziś wyrwał ząb, to jutro nie byłoby co borować. Znalazł nawet żyłkę wędkarską, obwiązał ją wokół zęba, ale wtedy nakryła go mama. Wygląda na to, że borowanie Papiszona nie ominie.

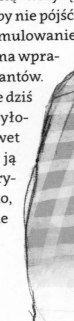

124

PONIEDZIAŁEK, 10.11
LENY, LUDOMIRA

Dzisiaj o szóstej rano przyjechała rodzina z Włocławka. Bez uprzedzenia. Wujek, którego znałem jedynie ze słyszenia, z ciocią i potomstwem – sztuk dwie. Kuzynka Weronika do przełknięcia, natomiast kuzynek Damianek – do uśpienia. Sześć lat, czarne podniebienie, cały czas biega z plastikowym karabinem i robi: ta, da, da, da, da...

Tata uprzedził mamę, że on może tego nie przeżyć i stara się o delegację do Turoszowa (dalej jest już tylko zielona granica). Wujostwo nie puszczają pary, po co naprawdę przyjechali i na jak długo, a Mamiszon twierdzi, że nie wypada pytać. Zdjęliśmy z pawlacza polówkę i materac dmuchany, sąsiad pożyczył matę turystyczną, a co do Damianka, to wygląda na to, że on nigdy nie sypia. Wziął do niewoli Kaśkę i Małego Mizioła. Mnie też chciał aresztować. Posłałem mu spojrzenie, które zabija.

WTOREK, 11.11
MARCINA, BARTŁOMIEJA

Nie przywykłem do spania na podłodze. W śpiworze było mi za ciepło. Okazało się, że wujostwo przyjechali po wypasiony komputer dla swojego diablęcia. Głupi pomysł. Na pewno będzie wbijał nim gwoździe. Małe Potwory z początku były zado-

wolone z towarzystwa He-Mana (bo ten nadpobudliwy idiota każe się nazywać He-Manem), ale już mają dość. Damianek przegalopował przez ich pokój jak demon zniszczenia. Misie siedzą w pudle, a lalki robią za cel dla indiańskich strzał.

ŚRODA, 12.11

RENATY, WITOLDA

Spóźniłem się do szkoły, bo była kolejka do łazienki. Facetka od biologii to prawdziwa sadystka. Postawiła mi minus, chociaż moja opowieść o rodzinie z Włocławka wzruszyłaby nawet najtwardszego twardziela.

Fifa powiedział dziś, że wybaczy mi moje umizgi do Beaty. Umizgi? – nawet nie wiem, co to jest. Nie próbowałem go wyprowadzić z błędu, bo mu się, biedakowi, na mózg rzuciło to uczucie. Ja Beaty nie podrywam. To byłaby nieopłacalna inwestycja. Nie mógłbym chodzić z dziewczyną, która ma lepszy ode mnie czas na setkę.

CZWARTEK, 13.11
MIKOŁAJA, STANISŁAWA

Wujek obleciał dziś wszystkie sklepy komputerowe. Bez powodzenia! „Jaka szkoda!" – mówi Mamiszon, a ja wiem, że nigdy nie była bardziej szczera. Wujek jest prawdziwym perfekcjonistą. Nie kupi byle czego. Szanuję perfekcjonizm, ale w tym jednym wypadku gotów byłbym odstąpić od moich zasad!

PIĄTEK, 14.11
ROGERA, SERAFINA

Damianek wtargnął do nory Papiszona, chociaż na drzwiach wisi napis, że wchodzenie grozi śmiercią lub kalectwem. Nic tak nie wkurza taty jak intruz w jego pokoju. Damianek nie ma poczucia rzeczywistości, bo próbował Papiszona wziąć do niewoli. Ma szczęście, że skończyło się tylko na szczypanku. Tata okazał wyjątkowe miłosierdzie, wziąwszy pod uwagę szkody wyrządzone przez He-Mana. Ciocia była jednak innego zdania i atmosfera zrobiła się nerwowa. Wygląda na to, że wujostwo postanowili nas ukarać i przenieść się do stryja Bronka.

Mama odwodziła ich od tego zamiaru, ale bez przekonania. To mi nasuwa pytanie, gdzie kończy się uprzejmość, a zaczyna zakłamanie? Jeśli o mnie chodzi, to jestem za brutalną szczerością.

SOBOTA, 15.11

ALBERTA, LEOPOLDA

Dobrze jest wrócić do własnego łóżka po trzech nocach spędzonych na podłodze. Rodzina ewakuowała się wczoraj wieczorem. Niestety – prośbie taty o delegację nadano już urzędowy bieg i jutro wyjeżdża. Do Turoszowa.

Rodzice zabrali nas dzisiaj na duże lody. Nikt tego głośno nie powiedział, ale ja wiem, że świętowaliśmy wyjazd Damianka.

NIEDZIELA, 16.11
GERTRUDY, EDMUNDA

Sensacja. Piroman wygrał wodne łóżko. Wysłał dziesięć opakowań po batonach na jakiś kretyński konkurs – i wygrał. W jego wypadku to zupełnie oczywiste. Nigdy nie widziałem, żeby jadł coś innego niż słodycze. Forsę, którą dostaje na szkolne obiady, wydaje od lat na sugusy. Tylko na co mu to wodne łóżko? Śpi z bratem na łóżku piętrowym, bo inne nie zmieściłoby się w ich pokoju.

PONIEDZIAŁEK, 17.11
SALOMEI, GRZEGORZA

Mamy nową facetkę od polaka. Nazwaliśmy ją Przydawka. Jest prosto po studiach i zaczęła ambitnie – mamy przygotować szkolną inscenizację jakiejś bajki. Problemy zaczęły się, kiedy trzeba było wybrać repertuar. Dziewczyny upierały się przy *Kopciuszku*, ale nie było chętnych do roli brzydkich sióstr. Kuczmierowski zaproponował *Panią Twardowską*, bo tam „jedzą, piją, lulki palą", a to by Kuczmierowskiemu pasowało. Fifa zgłosił *Trzy świnki*, patrząc wymownie na Patrycję, Beatę i Bubę. W końcu przegłosowano *Calineczkę*. Pani rozdała role, tylko Ropuchy nikt nie chciał zagrać.

WTOREK, 18.11
ROMANA, KLAUDYNY

Dzisiaj odbyła się pierwsza próba *Calineczki*. Kuczmierowski nie uważał, bo oglądał pod ławką katalog wysyłkowy damskiej bielizny. Za karę Przydawka obsadziła go w roli Ropuchy. Słuszny wybór!

ŚRODA, 19.11
ELŻBIETY, SEWERYNY

Piroman przyszedł do szkoły z irokezem na głowie. Pani Barszcz bez słowa zaprowadziła go do gabinetu dyrektora. Pod rentgenowskim spojrzeniem dyra Piroman plótł jak potłuczony, że mu się podczas strzyżenia elektryczną maszynką wyczerpała bateria i stąd nieobecność włosów po bokach głowy, a nadmiar pośrodku. Dyro nie miał nic przeciwko nieobecności włosów po bokach, chciał tylko wiedzieć, dlaczego ten nadmiar pośrodku jest ufarbowany na zielono?

Klakson zachorował na grypę z powikłaniami. Przydawka oddała mi jego rolę Chrząszcza. Po próbie Beata powiedziała, że pierwszorzędnie chrzęszczę. Nie jestem pewien, czy to aby nie kpiny?

CZWARTEK, 20.11
ANATOLA, SĘDZIMIRA

Mama zła, bo Papiszon ograł ją
w pchełki. Od kiedy popsuł się telewizor, rodzina szuka zastępczych roz-
rywek. Mamiszon opowiada Potworom
bajki, lekceważąc kompletnie prawdę historyczną.
Maminy Czerwony Kapturek przebiera się za leśniczego
i zjada wilka, a babcia czyha w lesie z dubeltówką na boga-
tych kupców. Mizioły protestują, a Mamiszon plecie dalej
o Głupim Jasiu, który zgubił szklane kalosze szczęścia.

PIĄTEK, 21.11
JANUSZA, KONRADA

W szkole trwają próby. Mamy problem z Calineczką.
W scenariuszu motyl pomaga jej w ucieczce. Fifa, który
gra motyla, ma unieść Calineczkę w górę i od-
dalić się za kulisy. Kłopot w tym, że Fifa nie
może tej cholernej Calineczki (to jest Buby)
oderwać od ziemi, a co dopiero wynieść ją
ze sceny. Przydawka posądza go o złą wolę.
W scenie tańca elfów Buba skacze ciężko jak
Pudzian, a tuman kurzu podnosi się z podłogi.

SOBOTA, 22.11
MARKA, CECYLII

Telewizor nadal nienaprawiony. Mizioły domagają się sobotniej porcji kreskówek. Nie chcą słuchać więcej bajek o Królewnie Śnieżce, która tak długo piła wodę z Wisły, aż pękła z hukiem. Mama się obraziła, że niby nie doceniamy jej literackich talentów. Papiszon poszedł na kompromis i zabrał Mizioły do teatru. Nareszcie mogę spokojnie powtarzać moją rolę Chrząszcza.

NIEDZIELA, 23.11
ADELI, KLEMENSA

Jakiś pacan napisał na naszych drzwiach sprayem „Szczebrzeszyn". Rodzice nie kumają, o co chodzi, ale ja wiem aż za dobrze. Założę się, że to pomysł Kuczmierowskiego. W piątek podczas próby zarzuciłem mu, że nie przykłada się do swojej roli i nie dość dobrze kumka. Na dodatek Przydawka kazała mu w domu ćwiczyć kicanie. A czy to moja wina, że Kuczmierowski nie nadaje się do roli Króla Elfów?

PONIEDZIAŁEK, 24.11
FLORY, EMMY

Inscenizacja *Calineczki* była kompletna klapą. Podczas pierwszego aktu na widowni panowała względna cisza, ale im dalej, tym gorzej. Najpierw słychać było pojedyncze śmiechy, potem tupanie i gwizdy, a kiedy Buba zaczęła śpiewać: „...żegnaj, słoneczko...", z ostatniego rzędu wyfrunął ogryzek i plasnął na środku sceny. Pasibrzuch i Mirota – największe łobuzy z szóstej d, dostali napadu kolki, kiedy zza kulis wykicał Kuczmierowski w stroju ropuchy. W drugim akcie wyszedłem na scenę i zaraz zostałem trafiony papierową kulą. Na sali panował przeraźliwy hałas, Kuczmierowski bił się z Mirotą, a facetka od polaka bezskutecznie próbowała ich rozdzielić, tłukąc obu zwiniętym w trąbkę scenariuszem. Zanim dojechali do finału – dyro przerwał przedstawienie i odesłał publiczność do klas.

WTOREK, 25.11
ERAZMA, KATARZYNY

Przydawka – niezrażona klapą naszego spektaklu – ogłosiła konkurs poetycki. Każdy ma napisać wiersz o szkole, nagrodą jest bezpłatny karnet na basen. Klakson, który napalił się na nagrodę, zaproponował mi resoraka w zamian za wiersz. Dla mnie to pestka, piszę wiersze tuzinami. A wszystkie świetne!

ŚRODA, 26.11
DELFINY, LECHOSŁAWA

Napisałem najdłuższy utwór w klasie. Mickiewicz przy mnie to pętak. Wygram w cuglach. A to mój wiersz:

Nasza szkoła to poemat
(a szczególnie, gdy jej nie ma).
Trzeba wstawać rano z łóżka,
chociaż miękka jest poduszka.
Nauczyciel nie pozwala
ławek niszczyć i rozwalać.
A nauka w naszej budzie
idzie wszystkim jak po grudzie.
Stąd ją często olewamy,
kiedy marny humor mamy.
Wolę raczej zjeść wątróbkę,
niż z polaka mieć klasówkę.
To jest właśnie podstawówka,
często trafi mi się lufka.

CZWARTEK, 27.11
WALERIANA, WIRGILIUSZA

Mały Mizioł pierwszy raz w życiu zawołał na nocnik. Rodzina uczciła ten doniosły fakt owacją. Mama trzykrotnie okrążyła kuchnię, niosąc tryumfalnie nocnik, za nią szło Kaszydło i grało na cymbałkach, a Papiszon zamykał pochód, waląc w tamburyno. Pomyśleć, że kiedy przyniosłem szóstkę z plastyki nikt mi nie zagrał na tamburynie, że o oklaskach nie wspomnę.

PIĄTEK, 28.11
LESŁAWA, ZDZISŁAWA

Ostatni raz w życiu dałem się namówić na konkurs poetycki. W tej mojej szkole nikt nie umie docenić prawdziwego geniuszu. Nagrodę wziął Zarazek – lizus i kompletny głąb. Napisał potwornego knota, a na dodatek nie ma w nim słowa prawdy:

> Co rano wesół idę do szkoły.
> Idąc do szkoły, jestem wesoły.
> W szkole się pilnie uczę fizyki,
> języka polskiego i matematyki.
> Do szkoły chodzę chętnie z rana,
> bo nasza szkoła jest kochana!

Jak to jest poezja, to ja jestem Kaczor Donald. Przydawka mi podpadła!

SOBOTA, 29.11
BŁAŻEJA, SATURNINA

Papiszon też mi podpadł! Dałem mu do przeczytania mój wiersz, nie mówiąc, kto jest jego autorem. Powiedział, że marny. MARNY?! Jak dostanę literackiego Nobla, to im łuski z oczu spadną!

NIEDZIELA, 30.11
ANDRZEJA, MAURY

Od dziś pracuję intensywnie na Nobla. Postanowiłem codziennie pisać jeden wiersz, jeden rymowany aforyzm i jedną fraszkę. Właśnie pracuję nad fraszką. Dotyczyć będzie konkursu poetyckiego. Nie mogę znaleźć rymu do „zarazek"...

PONIEDZIAŁEK, 1.12
NATALII, ELIGIUSZA

Dziś było w szkole losowanie mikołajkowe. Umówiliśmy się, że w tym roku dajemy sobie prezenty niepoważne i własnoręcznie zrobione. Ja wylosowałem Bubę, a Piroman Bynia.

Nie da się ukryć, że Bynio lubi jeść. Łatwiej go prze-skoczyć niż obejść. Na dużej przerwie wyjmuje drugie śniadanie: dwie buły, sałatkę ziemniaczaną w pudełku po lodach, jabłko, kefir, przysmak czekoladowy. Bynio nie jest rozmowny, ale ożywia się, kiedy mowa o żarciu. Be-ata przynosi mu przepisy wycięte ze „Zwierciadła". Bynio zbiera przepisy.

WTOREK, 2.12
BALBINY, BIBIANNY

Mamiszon wyjechał do Łodzi na ślub kuzynki. Zro-biliśmy z tatą nasze ulubione danie: frytki, parówki, ogórek z octu, duuużo keczupu. Gdyby to mama wi-działa... Twierdzi, że to okropnie niezdrowe. Na deser kupiliśmy ptysie i coca-colę.

Z Mamiszonem nie jest źle, ale bez Mamiszona też nie najgorzej. Kaśka zasnęła w ubraniu na kanapie w połowie serialu kryminalnego. Przynajmniej odpadł problem ran-nego ubierania. Do czwartku możemy się nie myć. Papiszon nie zagląda nam do uszu.

ŚRODA, 3.12
FRANCISZKA, KSAWEREGO

Trochę zaspaliśmy. Obudziła nas babcia, która przyszła za-jąć się Potworem. Od razu zabrała się do zmywania. Tata wy-biegł do pracy bez śniadania. Dzięki temu ominęła go babci-na pogadanka na temat nieodpowiedzialnych ojców, którzy w dodatku demoralizują dzieci, grając z nimi w karty przez całą noc. Na pieniądze! Babcię poniosła wyobraźnia – ani całą noc, ani na pieniądze. Ech! Wygląda na to, że babcia podkabluje na nas Mamiszonowi. Koniec z keczupem!

Nadal nie mam pomysłu na prezent dla Buby. Fifa wylosował Patrycję. Robi dla niej sztuczne rzęsy z miedzianego drutu. Rozebrał w tym celu elektromagnes. Dziewczyny nie potrafią tego docenić.

CZWARTEK, 4.12
BARBARY, KRYSTIANA

Wieczorem wraca Mamiszon. Trochę ogarnęliśmy chatę. Plama z majonezu nie chce zleźć z kanapy. Tata zrobił pranie, ale pomylił programy i teraz koszulki Małego Potwora są w kolorze brudnolila. No i sfilcował się sweter Mamiszona. Kaszydło się cieszy, bo teraz jest w sam raz na jej miśka. Tajemnicza sprawa – zniknęły wszystkie puszki ze spiżarki. Nikt się nie przyznaje.

PIĄTEK, 5.12
SABY, KRYSPINY

Mamiszon odgraża się, że już nigdy nie zostawi nas samych z tatą. Z powodu nieodwracalnych szkód moralnych i materialnych! Część puszek znalazła się pod wanną. Mały Potwór został przyłapany na upychaniu tam torebki z kaszą manną.

Mama rozpoznała w misiowym ubranku swój sweter. Lepiej byłoby dla taty, gdyby nocował w pracy. Mama wymachiwała kawałkiem filcu i krzyczała coś o nieodwołalnym rozwodzie. Tata ma zakaz zbliżania się do pralki.

Mały Potwór z uporem opróżnia kuchenne szafki. Ja mam coś „z tym" zrobić. Chyba zaproponuję zasieki z drutu kolczastego wokół szafek.

Jutro mikołajki. Mam nadzieję, że nie zostałem uznany za wyrośniętego!!!

SOBOTA, 6.12

MIKOŁAJA, JAREMY, MIKOŁAJKI

Obudziły mnie indiańskie okrzyki Kaszydła i Małego Potwora. Gęby miały umazane czekoladą, ciamkały, sypały dookoła okruchami i wymachiwały workami pełnymi słodyczy. Ja też znalazłem pod łóżkiem paczkę. W środku były pierniki, marcepanowa świnka, krówki ciągutki, mandarynki i sezamki. Oprócz tego czekoladowy Mikołaj i bombowa czapka z napisem „Chicago Bulls". Dla porządku dodam, że w paczce była też mała, pomalowana na złoto rózga brzozowa. Przyjąłem ten nietakt z godnością!

Potwory pobiegły obudzić Mamiszona, no a tam okazało się, że pod łóżkiem rodziców nie ma żadnej, najmniejszej nawet paczki. Kaszydło wytłumaczyło Małemu Potworowi, że rodzice nie byli dość grzeczni i że to na pewno kara za to, że nie pozwalają dzieciom oglądać serialu *Wampir Dracula*.

– Musicie się poprawić – powiedziało Kaszydło i odpaliło rodzicom po jednej krówce ze swojej paczki, a Mały Potwór dorzucił świnkę z marcepanu.

Klasowe mikołajki będą w poniedziałek. Trwa wymiana losów. Zarazek zamienił Aśkę na Baśkę. Kuczmierowski nie może przehandlować Piromana.

NIEDZIELA, 7.12
MARCINA, AMBROŻEGO

Na obiad poszliśmy do McDonalda. Mamiszon pozwolił nam zamawiać, ile chcemy, pod warunkiem że wszystko zostanie zjedzone. No więc wziąłem sobie Big Maca, sałatkę, frytki, koktajl mleczny i coca-colę. Kaszydło, które zawsze chce robić to co ja, zamówiło to samo. Potwór musiał zadowolić się chrupkami z kukurydzy, bo jest alergiczny.

W połowie Big Maca Kaśka odpadła. Dostała dziwnej przypadłości żołądka, który toleruje wyłącznie coca-colę. Zjadłem dwa Big Maki, dwie sałatki, dwie porcje frytek... Załamałem się przy drugim koktajlu. Czuję się, jakbym połknął cegłę.

PONIEDZIAŁEK, 8.12
MARII, WIRGINII

We wszystkich klasach mikołajki. Pani Barszcz w czerwonym szlafroku, czerwonej czapce i ze sztuczną brodą na gumce rozdawała prezenty. Zarazek dostał lusterko z napisem: „Jestem piękny i mądry", Kuczmierowski styropianowe hantle, a Bynio gigantyczną kanapkę skręconą dwiema wielkimi śrubami. Ja dostałem różowe okulary. A potem była dyskoteka i tańczyłem z Beatą, i byłoby całkiem fajnie, gdyby nie Mirota, który pokazywał nas paluchem i śmiał się jak hiena.

WTOREK, 9.12
WIESŁAWA, LEOKADII

Dzisiaj na obiad była sałatka z ryżu, zielonego groszku i tuńczyka. Papiszon jej nie cierpi. Mama przyrządza ją, ilekroć jest zła na tatę, i dlatego nazywamy ją daniem rozwodowym. Zauważyłem następującą prawidłowość – jemy to paskudztwo zawsze po wizycie cioci Wisi.

Ciocia Wisia tak naprawdę nie jest żadną ciocią, tylko szkolną koleżanką mamy. Nie ma męża ani dzieci, ładnie pachnie i nosi

bardzo wysokie obcasy, od których robią się śmieszne dziurki w parkiecie.
Zawsze strasznie schlebia Papiszonowi.
Biedny Papiszon nie przywykł do po-
chlebstw, mama go nie rozpieszcza, więc
jest bardzo zadowolony.

Nigdy nie zrozumiem kobiet.
Mama jest miła dla cioci Wisi,
podsuwa jej ciasteczka, a po jej
wyjściu mówi o niej „małpa"
i kłócą się z tatą szeptem, żeby
nas, dzieci, nie obudzić. Wrzesz-
czenie na siebie szeptem jest naprawdę bardzo zabawne.

ŚRODA, 10.12

JULII, DANIELI

Wczoraj mama przegapiła wywia-
dówkę. Nie powiem, żeby mnie to
zmartwiło. Tata skończył jakąś pilną
pracę i jest bardzo zadowolony. Może
to byłby dobry moment, żeby popro-
sić o podwyżkę tygodniówki?

Odkurzyłem swój pokój i pozmy-
wałem po obiedzie. Mamiszon przygląda mi się podejrzliwie. Rodzina
twierdzi, że ja nigdy nie pomagam
bezinteresownie. Idę do Piromana.

CZWARTEK, 11.12
DAMAZEGO, WALDEMARA

Kuczmierowski powiedział, że odstające uszy mniej odstają, kiedy się je na noc przylepia plastrem. Przylepiłem, ale plaster ciągle odskakiwał, no to poleciałem po całości i użyłem szerokiej taśmy klejącej. Rano afera, bo po pierwsze, nie usłyszałem budzika, a po drugie, taśma nie chciała się odlepić. Kaśka skwapliwie podjęła się zerwać ją jednym brutalnym pociągnięciem – sadystka! Papiszon okazał kompletny brak taktu i strasznie się śmiał, a mama polewała mi uszy kolejno: spirytusem, olejem sojowym i wreszcie zmywaczem do paznokci, który szczęśliwie podziałał. Naturalnie – spóźnienie na godzinę wychowawczą!

Powiedziałem Kuczmierowskiemu, że wąsy szybciej rosną, kiedy się je smaruje butaprenem. Zemsta jest rozkoszą bogów!!!

PIĄTEK, 12.12
DAGMARY, ALEKSANDRA

Papiszon wrócił z pracy zły. Zwykle leczy się ze złego humoru na dwa sposoby – albo rozkręca i czyści rower, albo wygania mamę z kuchni i gotuje jakieś prawdziwie męskie danie. Dzisiaj smaży placki kartoflane. Pierwszy placek przywarł do patelni i nie dał się

odlepić, na szczęście mamy dwie patelnie. Na razie straty są umiarkowane: tata stłukł salaterkę i opalił sobie rzęsy. Ogryzek kategorycznie odmówił jedzenia placków.

SOBOTA, 13.12

ŁUCJI, OTYLII

Nareszcie zrozumiałem, jak działa zegarek. To proste – sprężyna zapewnia drganie balansu, powodując, że wychwyt dźwigniowy kołysze się, a jego zaczepy łapią koło wychwytu... Tata nie umie docenić mojej naukowej dociekliwości. Może dlatego, że posłużyłem się jego zegarkiem...

NIEDZIELA, 14.12

ALFREDA, IZYDORA

Byliśmy na obiedzie u dziadków. Nie obyło się bez złośliwych uwag na temat niegrzecznych chłopców, którzy rozkręcają zegarki swoim ojcom. Edison zostałby szewcem, gdyby miał taką rodzinę.

Za grosz zrozumienia dla moich talentów!

PONIEDZIAŁEK, 15.12
NINY, CELINY

Tata awansował. Mama przyglądała mu się z nie-dowierzaniem. Papiszonowi dano w pracy do zro-zumienia, że powinien zadbać o garderobę i że jego ulubiona koszulka z nadrukiem „Myszka Miki na prezydenta" nie jest odpowiednim strojem na no-wym stanowisku. Papiszon próbował utargować, żeby przynajmniej trampki pozwolili mu nosić. Niestety, szefowa nie chciała słuchać o trampkach.

Chcąc nie chcąc, starzy podjęli forsę z konta i pojechali do galerii handlowej. Wrócili kom-pletnie wyczerpani. Podobno Papiszon czepiał się wieszaków z marynarkami w żółtą kratę, a mama wlokła go w kierunku burych garniturów. W koń-cu poszli na kompromis – wybrany garnitur jest ciemnozielony, a krawat... w ananasy. Papiszon wygląda w nim jak szaman Zulusów.

WTOREK, 16.12
ALBINY, ZDZISŁAWY

Zarazek powiedział kiedyś, że podejmuje się zjeść własne trampki, jeśli pani Barszcz zaciągnie Pięknego Lola do oł-tarza. Zarazek powinien bardziej uważać na to, co mówi! Ślub odbędzie się w Boże Narodzenie.

Pani Barszcz jest tak wniebowzięta, że nie uważa na lekcjach i bierze za dobrą monetę najbardziej nieudolne wykręty. Dzisiaj na przykład przerośnięty Mikuś bredził, że nie był wczoraj w szkole ze względu na pogrzeb babci. A przecież każde dziecko wie, że on tę babcię uśmierca ze trzy razy w miesiącu, najchętniej w dni klasówek z matmy. Skądinąd wiadomo, że babcia Mikusia pracuje w osiedlowej bibliotece, ma się dobrze i ani jej w głowie umierać.

Fifa ma swoją teorię na temat ożenku Pięknego Lola – on twierdzi, że pani Barszcz zmusiła go do ślubu szantażem. Od kiedy Beata dała Fifie kosza, biedak uważa, że wszystkie kobiety są perfidne i fałszywe!

Gdyby się dowiedział, że w niedzielę byłem z Beatą w kinie – chybaby mu serce pękło!!!

ŚRODA, 17.12

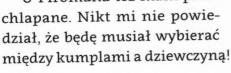

OLIMPII, ŁAZARZA

Dowiedział się. Patrycja mu powiedziała. Nic mu nie pękło, a już na pewno nie serce. Na biologii strzelił mi z procy gumką prosto w ucho. I to ma być przyjaciel!

U Piromana też mam przechlapane. Nikt mi nie powiedział, że będę musiał wybierać między kumplami a dziewczyną!

CZWARTEK, 18.12
GRACJANA, LAURENCJI

Temperatura spadła do minus siedmiu stopni. Od dziś zaczął się sezon na kalesony. Tak przynajmniej twierdzi Mamiszon. Ten, kto wymyślił te upiorne galoty, powinien resztę życia spędzić w pudle. Całe rano ganialiśmy się po domu – Mamiszon z niebieskimi kalesonami w garści, ja – bez, rzecz jasna. Pierwszą rundę wygrałem. Niestety, to nie koniec. Wojna kalesonowa z Mamiszonem trwa zwykle aż do marca.

PIĄTEK, 19.12
GABRIELI, DARIUSZA

Mały Potwór uczy się jeść buraczki łyżką. To mi odbiera apetyt na dwa dni. Niestety Mamiszon jest (chwilowo) entuzjastką bezstresowego wychowywania małych dzieci. To znaczy mniej więcej tyle, że nie protestuje, kiedy Mały Potwór wali łyżką w michę pełną buraczanej brei, rozchlapując ją po całej kuchni. Dlaczego dwanaście lat temu nikt nie słyszał o wychowaniu bezstresowym? Wówczas zabierano mi po prostu żarcie – nie chce? niech nie je! – a dziś okazuje się, że to już niemodne. Kaśka z kolei była hodowana na diecie bezmięsnej, do czasu kiedy u znajomych dorwała się do kotleta w sposób niepozostawiający żadnych wątpliwości co do tego, że nie jest wegetarianką.

Beata przegadała całą dużą przerwę z Krośkiewiczem. Może jednak Fifa ma rację?

SOBOTA, 20.12
BOGUMIŁY, DOMINIKA

Zaczynają się przygotowania świąteczne. Papiszon czujnie już od paru dni symuluje ból korzonków, byleby się wykręcić od pastowania podłóg. Mama zna Papiszona nie od dziś i przejrzała tę kiepską grę. Zaproponowała mu kompromis – mycie okien zamiast wiórkowania, ewentualnie trzepanie dywanów... Mnie naturalnie nawet nagły atak wyrostka robaczkowego nie uratuje – będę zasuwał jak niewolnik. Moja działka to wynoszenie śmieci i niektóre zakupy.

Kaszydło od tygodnia lepi z kolorowego papieru jakieś gluty, które nazywa ozdobami choinkowymi. Potwór to ma dobrze – nie musi stać w kolejce po karpia.

NIEDZIELA (HANDLOWA), 21.12

TOMASZA, TOMISŁAWA

W rybnym spotkałem Beatę. Postaliśmy sobie razem przeszło godzinę. Fajnie było! Umówiliśmy się na jutro – idziemy razem kupować bombki. Mam już prezenty dla Potwora,
dla Papiszona i dla Kaszydła. Chciałbym dać prezent Beacie, ale nie wiem, jak to zrobić. Skonstruowałem dla niej
pudełko na CD.

Zauważyłem, że Piroman już od godziny sterczy z Pućką
koło trzepaka.

PONIEDZIAŁEK, 22.12

ZENONA, HONORATY

Rodzice spędzili pół nocy na ostrym dyżurze laryngologicz-
nym. Mały Potwór wepchnął sobie fasolę do nosa i wcale
się nie przyznał. Fasola pęczniała
coraz bardziej i w nocy przy-
brała rozmiary w sam raz dla
interwencji lekarza. Podobno tego dnia w środku nocy
poczekalnia pełna była dzieci, a każde miało fasolę w nosie. Jeden mały facet miał dla
odmiany witaminę C w uchu.
Kaśka zazdrosna i wściekła,
że to nie ona wpadła na taki
świetny pomysł z tą fasolą.

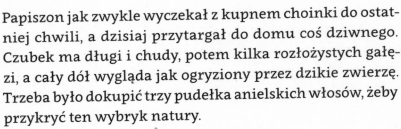

WTOREK, 23.12
WIKTORA, SŁAWOMIRY

Papiszon jak zwykle wyczekał z kupnem choinki do ostatniej chwili, a dzisiaj przytargał do domu coś dziwnego. Czubek ma długi i chudy, potem kilka rozłożystych gałęzi, a cały dół wygląda jak ogryziony przez dzikie zwierzę. Trzeba było dokupić trzy pudełka anielskich włosów, żeby przykryć ten wybryk natury.

ŚRODA, 24.12
WIGILIA, ADAMA, EWY

Już wiem, dlaczego Wigilię nazywa się świętem pojednania. Żeby się pojednać, trzeba się pokłócić, a my się zawsze kłócimy przed Wigilią.

Dzień zaczął się nerwowo. Uszka Mamiszona rozgotowały się na szary klajster. Na szczęście mądrzy ludzie wynaleźli mrożonki. Mały Potwór zaturlał słoik smażonej w cukrze skórki pomarańczowej do kąta, skórkę zjadł i zwymiotował. Co sobie myśli taka skórka podczas krótkiej i gwałtownej podróży do brzucha Potwora oraz z powrotem?

Orzechy z keksu zniknęły w niewyjaśnionych okolicznościach. Wszystkie poszlaki wskazują na Papiszona, ale z braku niezbitych dowodów śledztwo umorzono. Kaszydło zrobiło ozdoby choinkowe ze spinaczy biurowych i z pomponów od papuci Mamiszona. Próbowałem zdjąć z choinki te śmieci, mało mi oczu nie wydrapała! No a potem trzeba się było galopem pojednać, bo już wzeszła pierwsza gwiazdka.

CZWARTEK, 25.12
PIERWSZY DZIEŃ ŚWIĄT

Jemy.

PIĄTEK, 26.12
DRUGI DZIEŃ ŚWIĄT

Jemy.

Cyprinus carpio (Pyszczek)

SOBOTA 27.12
JANA, ŻANETY

Dzisiaj zmarł świąteczny karp. Przed Wigilią nikt nie miał sumienia dać mu w łeb, więc pływał w naszej wannie. Kaśka naznosiła mu do wanny różnych plastikowych kaczuszek, wrzuciła nawet swoją Barbie Syrenę, którą dostała od Świętego Mikołaja. Próbowała też nalać biednej rybie płynu do kąpieli, ale jej to wyperswadowałem. Nazwaliśmy karpia Pyszczek, choć nie ma pewności, że to był samiec. Pyszczek pewnie by jeszcze trochę pożył, gdyby Kaszydło nie wrzuciło do wanny całej blaszki ciasta. Typowy przykład zagłaskania kota na śmierć!

NIEDZIELA, 28.12
TEOFILI, GODZISŁAWA

Od wczoraj w kuchni wisi nowy kalendarz. Ten, kto go redagował, ma poczucie humoru. Jeśli mu wierzyć, dzisiaj obchodzą imieniny: Antoni, Dobrowiest, Emma, Godzisław i Teofila (kobieta). Wymyśliliśmy z Piromanem zdrobnienia tych imion. Mamy kłopot z Godzisławem.

PONIEDZIAŁEK, 29.12
DAWIDA, TOMASZA

Dojadamy resztki ze świątecznego stołu. Jak w bajce *Sto-liczku, nakryj się* – jemy, jemy, a wcale nie ubywa. Mama tak się rozpędziła z ciastami, że nie damy im rady do sylwestra.

Zaprosiłem Piromana, żeby mi pomógł zniszczyć te zapasy, zawsze był strasznie żarty. Przyszedł, ale na widok sernika zwątpił. Jego mama też przesadziła z wypiekami. Ożywił się natomiast przy śledziu. Piroman w tajemnicy przed rodziną szykuje noworoczne fajerwerki. Dla lepszego efektu ma je odpalić w łazience, tam jest dobra akustyka.

WTOREK, 30.12
EUGENIUSZA, RAJNERA

Rodzice idą na bal, który odbywa się u Papiszona w pracy. Mama biega po domu i biadoli, że nie ma się w co ubrać. Jak zwykle przerzuci całą szafę, a w końcu włoży tę samą co zawsze granatową sukienkę, w której brała ślub z tatą. I turkusowe kolczyki.

ŚRODA, 31.12
MELANII, SYLWESTRA

Przyszli dziadkowie. Mamy lody w zamrażalniku i dużą butelkę coli. Potwory pewnie padną przed toastem noworocznym, ale ja mam zamiar wytrwać do powrotu rodziców.

CZWARTEK, 1.01
NOWY ROK, MIECZYSŁAWA

Wytrwanie do powrotu rodziców okazało się nadzwyczaj łatwe, bo byli z powrotem jeszcze przed północą. Po prostu tata trzykrotnie poprosił do tańca swoją szefową, na co Mamiszon oświadczył, że nie po to raz w roku idzie na bal, żeby się przyglądać parze kiepskich tancerzy. I runęła do szatni. Tacie nie pozostawało nic innego, jak pobiec za nią.

Dziadek musiał użyć wszystkich swoich dyplomatycznych talentów, żeby ich pogodzić przed wybiciem północy. No bo wiadomo – jak w pierwszy dzień nowego roku, tak przez cały rok. Ledwo minęła północ, usłyszeliśmy eksplozję, a w łazience odpadł ze ściany kafelek. To Piroman osiągnął efekt, który przerósł jego najśmielsze oczekiwania. Piroman mieszka nad nami.

PIĄTEK, 2.01
IZYDORA, MAKAREGO

Jeśli wierzyć przesądom, to Piroman przez cały rok będzie dostawał bęcki od babci kuchenną ścierką. Przyszedł zdruzgotany brakiem zrozumienia u starszych. Ma szlaban na telewizor do marca.

SOBOTA, 3.01
GENOWEFY, DANUTY

Wieczorem – dyskoteka w szkole. Fifa postawił włosy na cukier, Piroman nalepił sobie na ręce lipne tatuaże z kalkomanii, a ja namoczyłem grzywkę w czerwonym tuszu kreślarskim. Wyglądałem odlotowo. Nawet jamnik sąsiadki, który zawsze ujada na mój widok – oniemiał z wrażenia.

NIEDZIELA, 4.01
TYTUSA, ANGELIKI

Kaśka była dzisiaj na urodzinach Dorotki – koleżanki z przedszkola. Kiedy ją odbierałem z tych urodzin, mama Dorotki zapytała, czy to ja uczę Kasię wierszyków. Odpowiedziałem, że owszem, zdarza się. Okazało się, że w konkursie na recytację moja siostra wyklepała wybitny utwór: „Siedzi misio na kanapie, pazurkami w pupie drapie" itd., itd. Wszystkim uczestniczącym w przyjęciu mamusiom szczęki opadły. Kaśka była niepocieszona, że nie wygrała konkursu, i upierała się, że powie jeszcze jeden wierszyk – o babie. Mama Dorotki nie dopuściła do tego.

W drodze do domu Kaśka powiedziała mi ten wierszyk. Hm... Mama Dorotki stanowczo miała rację!

PONIEDZIAŁEK, 5.01
HANNY, EMILIANY

Jutro rodzice obchodzą rocznicę ślubu. Papiszon w panice, bo powinien się wykazać, a nie wie jak. Radził się nawet Kaśki, co zrobić dla mamy. Kaszydło przytomnie doradziło mu laurkę. Obawiam się, że Mamiszona trudno będzie zadowolić laurką. Tata wybiegł po jakiś kosztowny drobiazg.

WTOREK, 6.01
KASPRA, MELCHIORA, BALTAZARA

Kosztowny drobiazg okazał się parą biletów do teatru. Rodzice przed chwilą wyszli. Mama zadowolona, wystrojona, z nową torebką. Papiszon dumny.

Ledwo drzwi się zamknęły za starymi, już Potwory zaczęły wrzeszczeć w swoich łóżkach – jedna chce siku, druga chce pić! Kazałem im się wypchać. Czy ja wyglądam na baby-sittera?

ŚRODA, 7.01
JULIANA, LUCJANA

Miśka powiedziała Fifie, że Buba słyszała, jak Patrycja mówiła do Kaśki, że Beata powiedziała Halinie, że ja jestem przystojny. Nooo, ma się rozumieć! KAŻDY jest przystojniejszy od tego kolesia, który sterczy codziennie pod szkołą i czeka na Beatę.

Po lekcjach faceta nie było. Postałem chwilę pod szkołą. Beata wyszła z gromadą chichoczących koleżanek. Nic mnie tak nie wkurza jak te babskie śmichy-chichy!

CZWARTEK, 8.01
SEWERYNA, MŚCISŁAWA

Beata przysłała mi przez Patrycję pamiętnik, żebym się tam wpisał. Przedtem już wpisali się do niego Kuczmierowski, Piroman, Fifa, Zarazek, a nawet przerośnięty Mikuś... Czy ona zakłada swój fanklub?

Chłopaki nieźle się wygłupiły – Zarazek wkleił swoje zdjęcie, a Kuczmierowski to nawet napisał wiersz. Niedoczekanie, żebym robił z siebie idiotę!

PIĄTEK, 9.01
MARCELINY, MARCJANNY

Zapytałem mamę, czy jej zdaniem jestem przystojny? Mama zaczęła kręcić i zapewniać mnie, że uroda nie jest najważniejsza, a już z pewnością nie u mężczyzn. Uważam, że z profilu wyglądam zupełnie jak Clint Eastwood. Z przodu trochę mniej, bo uszy mi odstają... Mama nazwała moją urodę „interesującą".

Po lekcjach odprowadziłem Beatę do domu. Cały czas odwracałem się do niej profilem. Ona zbiera plakaty z Rihanną. O rany, jak można tego słuchać? Przez chwilę wydawało mi się, że tracę czas. Ale poza tym ona jest okej.

SOBOTA, 10.01
WILHELMA, DOBROSŁAWA

Napisałem wiersz do pamiętnika Beaty. Zostało trochę pustego miejsca, więc wkleiłem swoje zdjęcie – nie widać na nim uszu, bo jestem w czapce.

NIEDZIELA, 11.01
HONORATY, TEODOZJUSZA

Idę z Beatą na lodowisko. To był jej pomysł, ale męczy mnie przekonanie, że robię świństwo Piromanowi. Od dawna namawiał Beatę, nawet pożyczył w tym celu „hokeje" od brata, ale ona nie miała czasu.

Papiszon pożyczył mi swój zielony szalik i dał kasę na bilety. Przy okazji nie obyło się bez głupich komentarzy Kaśki, że jestem zakochany... Też coś! Czego ich uczą w tym przedszkolu...?

PONIEDZIAŁEK, 12.01
ARKADIUSZA, CZESŁAWY

Na dzisiaj była zapowiedziana klasówka z geografii. Bardzo nam się nie spodobał ten pomysł. Nie lubimy klasówek z geografii. A zwłaszcza nie lubimy stref klimatycznych. Klakson pierwszy rzucił pomysł, żeby się zerwać. Fifa zgodził się z nim w całej rozciągłości. Piroman chwilę się wahał, bo jest już nieźle podpadnięty, ale ostatecznie przyłączył się do Klaksona. Mikuś w ogóle się nie wahał. I tak już wiadomo, że znów przekibluje w tej samej klasie kolejny rok.

Kuczmierowski nic nie powiedział, tylko zarżał radośnie i od razu pogalopował do wyjścia. Nie pozostało mi nic innego, jak pójść z nimi.

159

Już, już dochodziliśmy do kina – kiedy zza rogu wynurzyła się pani Barszcz w towarzystwie świeżo poślubionego. Niestety, miłość do Pięknego Lola nie zaślepiła jej wystarczająco, bo już z daleka przeszyła nas swoim belferskim spojrzeniem.

Mamiszona wezwali do szkoły.

WTOREK, 13.01
BOGUMIŁY, WERONIKI

Mama po rozmowie z panią Barszcz doszła do wniosku, że moja przyszłość jest przesądzona. Zdaniem mamy czeka mnie posada przy kopaniu rowów. Teraz tarmosi tatę i próbuje go przekonać, że powinien się zająć moim wychowaniem. Na szczęście Papiszon nie ma głowy do moich postępów w nauce, bo zginął mu jakiś ważny pendrive.

Kaśka z całą powagą zaproponowała, że mi pomoże w nauce. Cierpliwości! Przecież ona nie umie się nawet podpisać!

ŚRODA, 14.01
FELIKSA, HILAREGO

Pendrive Papiszona był w kuble na śmieci! Wyrzucanie różnych rzeczy do śmieci to nowo nabyta umiejętność Małego Potwora. W zeszłym tygodniu wyrzuciła mamiczną rękawiczkę i sitko do kawy. Teraz, kiedy sprawa pendrive'a została wyjaśniona, tata zajął się wychowywaniem. Będzie mnie wychowywał do piątku (w piątek wyjeżdża w delegację). Co do wagarów, to wyznaczył mi karę – żadnych dobranocek! Gdyby Papiszon nie był tak roztargniony, to zauważyłby, że nie oglądam dobranocek od pięciu lat.

CZWARTEK, 15.01
PAWŁA, DOMOSŁAWA

Nie mam nic przeciwko temu, żeby tata wychowywał mnie częściej. Byliśmy w kinie. Papiszon zapytał, z czego była ta klasówka. A potem dodał: „Też nie lubiłem stref klimatycznych". I poszliśmy na frytki. To rozumiem – męska rozmowa! Niestety, z Mamiszonem nie pójdzie tak łatwo!

Razem z mamą Piromana zawiązały jakieś stowarzyszenie przewrażliwionych rodzicielek. Sprawdzają nam zeszyty, przepytują i prowadzą w dzienniczkach ożywioną korespondencję z panią Barszcz.

PIĄTEK, 16.01
MARCELEGO, WŁODZIMIERZA

Beata nie pojawia się w szkole, bo ma wietrzną ospę. Buba powiedziała dzisiaj z satysfakcją, że od tego się brzydnie. Buba zwykle zmyśla, ale jeśli to prawda?

SOBOTA, 17.01
ANTONIEGO, ROŚCISŁAWA

Rano wyszło słońce. Z mojego okna widać okno Beaty. Puszczałem zajączki tak długo, aż pojawiła się w oknie. Z daleka nie było widać, żeby zbrzydła.

NIEDZIELA, 18.01
PIOTRA, MAŁGORZATY

Lodówka opustoszała po wczorajszej wizycie Piromana. Namówiliśmy mamę na niedzielne zakupy w supermarkecie. Zwykle Mamiszon omija ten supermarket dużym łukiem, bo tam jest za dużo pokus. Małego Mizioła zapakowaliśmy do sklepowego wózka i oblecieliśmy stoiska z zabawkami, potem ciuchy i spożywcze. Mamie udzielił się szał zakupów, ale przy kasie przeszło jej jak ręką odjął.

W domu rozpakowaliśmy siatki i okazało się, że kupiliśmy: parę skarpetek w zielone koniczynki, karnawałową maskę wampira, pudełeczko na NIEWIADOMO CO, waciki kosmetyczne, plastikowy kubek, pinezki z kolorowymi łebkami i środek na mole. Z rzeczy jadalnych kupiliśmy mrożony groszek, gumę do żucia i jakąś tajemniczą puszkę, w której, jak się okazało, były kiełki bambusa. Mamiszon bardzo skruszony twierdzi, że to był atak chwilowej niepoczytalności. A ja tam lubię tę rozpasaną konsumpcję.

PONIEDZIAŁEK, 19.01
HENRYKA, MARIUSZA

Piroman dostał dziś naganny ze sprawowania. Osmalił panią Barszcz za pomocą bombki dymnej z magnezji. Bombka była przeznaczona dla Kuczmierowskiego, bo ten dupek nazywa Piromana dupkiem, a Piroman bardzo tego nie lubi. Bombka wisiała za drzwiami, lont został podpalony. Kuczmierowski już, już szedł w kierunku klasy, no i wtedy wyprzedziła go pani Barszcz... Kuczmierowski nietknięty, natomiast pani Barszcz „trafiona, zatopiona"! Osmalona pierwszorzędnie, zrobiła się podobna do Łokietka, tylko brzydsza. No i Łokietek ma poczucie humoru, a pani Barszcz niekoniecznie. Od razu wstawiła Piromanowi do dziennika wielką jedynkę, a dopiero potem poszła się umyć. Swoją drogą, skąd ona wiedziała, czyja to robota?

WTOREK, 20.01

ANIELI, KONRADA

Mama poszła do dentysty, a tata zamknął się w swojej norze z pilną robotą. Potwory zostały na mojej głowie. Kiedy już w całym domu zrobiły kompletny demol, zamknąłem je w łazience. Siedziały tam cicho jak myszy. Nieoczekiwanie wpadła ciocia Ania z wizytą. Jak usłyszała, że spacyfikowałem Mizioły – nie spodobały jej się moje metody wychowawcze. Nie chciała słuchać wyjaśnień, że to nie dzieci, tylko dzikie bestie. Ale kiedy je wypuściła – musiała przyznać mi rację.

Potwory dobrały się do maminych kosmetyków i zrobiły sobie taki make-up, że kapcie spadają. Kaśka nałożyła na twarz błękitną maseczkę do cery suchej. Właściwie nie tylko na twarz. Na cały organizm! Mały Mizioł pomalował sobie uszy szminką, co jest nie lada sztuką, kiedy ma się niewiele ponad dwa lata. Usta wysmarowała tuszem do rzęs. Kiedy otworzyliśmy drzwi, Potwory właśnie lakierowały sobie palce u nóg wiśniowym lakierem.

Ciocia wpakowała obie pod prysznic, a ja zająłem się zacieraniem śladów.

Kiedy już było po wszystkim, tata wynurzył się ze swojej nory i pochwalił mnie za opiekę nad młodszym rodzeństwem! Aha!

ŚRODA, 21.01
AGNIESZKI, JAROSŁAWY

Niestety, mama zauważyła spustoszenia w swoich kosmetykach. Cała rodzina została gruntownie przepytana. Potwory oczywiście udawały jelenia. Zgodnie z moimi zasadami nie podkablowałem, chociaż walczyłem z pokusą.

CZWARTEK, 22.01
ANASTAZEGO, WINCENTEGO

Uuuups! Niefart! Wychodząc rano z domu, zostawiłem włączony opiekacz do grzanek. Kiedy Mamiszon wrócił po południu, opiekacz był rozgrzany do czerwoności.

Dawno nie widziałem tak wściekłego Mamiszona. Na wszelki wypadek umknąłem do swojego pokoju i do wieczora nie wychyliłem z niego nosa. Kaśka przyniosła mi batonik na pociechę.

PIĄTEK, 23.01
ILDEFONSA, RAJMUNDA

Piroman nieopatrznie poszedł z Pućką na górkę saneczkową koło szkoły. Tak go natarła śniegiem, że ledwo kwiczał. Nie na darmo Pućka trenuje kick-boxing. Szczęście, że nie próbował iść z nią na siłownię – dopiero byłoby się z czego pośmiać! Pućka jest silna jak Fizia Pończoszanka i równie odważna – nawet Pasibrzuch czuje przed nią respekt.

SOBOTA, 24.01
FELICJI, TYMOTEUSZA

Mama zrobiła Papiszonowi czapkę na drutach. Wygląda w niej jak ostatnia sierota. Ten, kto nauczył Mamiszona robić na drutach – wyrządził naszej rodzinie prawdziwą krzywdę. Gdybyśmy się ubrali we wszystkie robótki ręczne mamy – moglibyśmy straszyć niegrzeczne dzieci.

A skoro mowa o niegrzecznych dzieciach – Kaśce wyczerpały się baterie w mechanicznym piesku, więc wyjęła nowiutkie, alkaliczne baterie z mojego aparatu fotograficznego i PODMIENIŁA. Jej się wydaje, że ma do czynienia z idiotą! Wymierzyłem jej sprawiedliwość, a ona zamiast przyjąć karę z godnością – poleciała na skargę do mamy!

166

NIEDZIELA, 25.01

PAWŁA, ELWIRY

Papiszon pierwszy raz w życiu wygrał ze swoim komputerem w szachy. Kazał mówić do siebie „mistrzu" i dał do zrozumienia, że oczekuje wiwatów i oklasków. Powiedział, że od dziś będzie traktował swój komputer z pobłażaniem. Niewykluczone, że od czasu do czasu nazwie go „głupkiem".

PONIEDZIAŁEK, 26.01

PAULI, POLIKARPA

Klakson twierdzi, że odwiedził go przybysz z kosmosu. Podobno w nocy obudził go hałas na balkonie. Wyjrzał, a tam stał facet o rozmiarach karzełka i otrzepywał pelerynę ze śniegu. Kiedy się zorientował, że jest obserwowany – przerzucił płetwiaste nogi przez poręcz balkonu i bezszelestnie spłynął na ziemię. Światełka „stopu" rozjarzyły mu się na odwłoku, zgasły i nic już nie było widać. Na dowód, że cała historia to nie lipa, Klakson pokazywał nam ślady płetw w śniegu na balkonie. U Klaksona drzwi się nie zamykają, ciągle nowi kolesie chcą obejrzeć niezbite dowody istnienia UFO.

Po południu przygrzało słońce i dowody się roztopiły. Mimo to chłopaki podzieliły się na tych, co wierzą Klaksonowi, i na tych, którzy chcą mu spuścić manto za to, że robi z nas balona.

WTOREK, 27.01

ANGELI, PRZYBYSŁAWA

Papiszon nabija się niemiłosiernie z naszego UFO. On twierdzi, że Klakson kon-fa-bu-lu-je, czyli łże, mówiąc po ludzku. Papiszon jest okropnym niedowiarkiem. W UFO nie wierzy (bo go nigdy nie widział), ale w prąd elektryczny wierzy. A czy ktoś widział kiedy prąd?

ŚRODA, 28.01

WALEREGO, RADOMIRA

Nie mogłem doczekać się obiadu i ugotowałem sobie barszcz czerwony z torebki. Wszystko zgodnie z instrukcją – wysypać... rozprowadzić... uzupełnić... zagotować... przecedzić... Dobrze mi szło, aż do przecedzenia. Postawiłem sitko w zlewie, tak jak to mama robi zawsze, kiedy gotuje makaron, i przelałem przez nie zawartość garnka. Na sitku zostało trochę buraczanych fusów, a barszcz popłynął przez zlew do morza.

Inteligencja odmówiła mi posłuszeństwa jak zawsze, kiedy próbuję coś ugotować. Grzanki zrumieniam na amen, a jajka gotuję na baaaardzo, bardzo twardo. Mam to po Papiszonie!

CZWARTEK, 29.01
ZDZISŁAWA, FRANCISZKA

Wpadł Piroman z zamiarem wypożyczenia Kaszydła. Wymyślił test na prawdomówność Klaksona.

Po zmroku ubraliśmy Kaśkę w zieloną pelerynę, gumowe płetwy do nurkowania, na głowę założyliśmy jej czapkę od karnawałowego kostiumu pszczółki, Piroman podłączył dwie lampki choinkowe do płaskiej baterii i umocował to wszystko na Kasinym organizmie. Kaszydło zachwycone, bo lubi się przebierać. Zatargaliśmy ją pod drzwi Klaksona, Piroman wykręcił żarówkę na klatce, zadzwonił do drzwi i schował się za róg. Kaśka stała dzielnie bez ruchu i świeciła lampkami. Drzwi otworzył Klakson i... natychmiast zatrzasnął je z powrotem. I tyle! Kaśka zawiedziona. „Zwinęliśmy" ją po cichu.

PIĄTEK, 30.01
MACIEJA, MARTYNY

Klakson ani słowem nie wspomniał o wczorajszej wizycie ufoludka. To wzmogło nasze podejrzenia. Rozpoczęliśmy dyskretne śledztwo. Wątpliwości rozwiała Pućka. Pod wpływem zniewalających spojrzeń Piromana wyśpiewała całą prawdę – jej brat wszystko to wymyślił, bo chciał zwrócić na siebie uwagę Beaty. Prawie mu się udało. A przy okazji zrobił z nas jeleni. Ślady na śniegu odcisnął własnoręcznie, posługując się tekturką. Piroman chciał mu skopać rabatki, ale pod wpływem moich perswazji odpuścił. W końcu Klakson jest bratem Pućki!

Tata przyjął nowinę bez emocji – przywykł do tego, że ma zawsze rację. To nieznośne, kiedy ktoś ma zawsze rację!

SOBOTA, 31.01

MARCELI, LUDWIKI

Przyjechała ciocia Lusia. Zostaje do poniedziałku. Wizyty cioci Lusi mają plusy i minusy. Plusy to: naleśniki z czekoladą, odprasowane koszule taty, obłaskawione Potwory... Minusy – bezwzględny zakaz skakania po kanapie, uwagi typu: „Nie garb się", okrzyki: „Ależ ty wyrosłeś!", pytania: „Czy masz już dziewczynę?". Poza tym ciocia Lusia jest w porządku. Ma bardzo małe mieszkanie w Płocku, które ciągle pucuje, a kiedy już wszystko wypucuje – przyjeżdża do nas zrobić klar, takie ma hobby.

Papiszon od lat tłumaczy cioci Lusi, że w jego norze nie wolno sprzątać pod żadnym pozorem, ale ona nie traci nadziei.

170

Przygląda się ze zgrozą stosom książek i starych gazet, szczątkom sprzętu elektronicznego i narzędziom, które zalegają na podłodze w pokoju Papiszona.

NIEDZIELA, 1.02
BRYGIDY, IGNACEGO

Ciocia Lusia zakradła się do taty i trochę poodkurzała. Papiszon oczywiście od razu się połapał i dostał swojego słynnego szczękościsku. Teraz ciocia siedzi z mamą w kuchni i knują przeciwko tacie, a raczej przeciwko jego nieuleczalnym dziwactwom.

PONIEDZIAŁEK, 2.02
MARII, MIŁOSŁAWA

Na matmie zaczął padać śnieg. Padał przez całą biologię i geografię. Po lekcjach ulepiliśmy bałwana pod samym oknem dyra, i jakoś tak się dziwnie złożyło, że nasz bałwan był do dyra podobny jak dwie krople wody. Nawet szelki mu dorobiliśmy i krawat z worka po cemencie. Pani woźna wygrażała nam z okna szufelką do śmieci. Jutro ulepimy woźną.

WTOREK, 3.02
BŁAŻEJA, OSKARA

Papiszon, wysłany przez mamę po makaron, wrócił po godzinie, bez makaronu. W spożywczaku spotkał kumpla z podstawówki i strasznie się zagadali. Papiszon zaprosił go na jutrzejszy obiad.

ŚRODA, 4.02
ANDRZEJA, WERONIKI

Kumpel Papiszona wygląda jak profesor Filutek z „Przekroju". Wykłada historię na uniwersytecie. Jego specjalnością są kampanie napoleońskie. Przy zupie opowiadał o bitwie pod Waterloo, a przy drugim daniu o bitwie pod Moskwą. Papiszon i Filutek byli Moskalami, a my z Mamiszonem, Kaszydłem i Małym Potworem byliśmy armią napoleońską. Moskale zbudowali fortyfikacje z klusek śląskich, ale ostrzelaliśmy ich gotowaną brukselką i musieli się poddać. Filutek co prawda protestował i wołał, że to jest niezgodne z prawdą historyczną, ale trafiony brukselką w środek czoła, wywiesił białą flagę.

Na koniec zesłaliśmy Papiszona z Filutkiem na wyspę Elbę, czyli do kuchni, ale to był błąd taktyczny, bo obaj wtrząchnęli na tej Elbie pół blaszki sernika.

CZWARTEK, 5.02
AGATY, IZYDORA

Dzisiaj wrzuciłem do świnki ostatnią monetę. Więcej nie wlazło. Skarbonka napełniła się po czubki fajansowych uszu. Cała rodzina gapiła się, gdy rozbiłem świnkę. W środku było 78 złotych i 23 grosze, głównie w monetach dziesięciogroszowych. A poza tym – guzik, kapsel, kółko od firanek, guma do żucia i ostrze scyzoryka, które ułamało się, kiedy w swoim czasie próbowałem wyjąć ze świnki kilka monet. Potwory kwiczały z zazdrości.

PIĄTEK, 6.02
DOROTY, BOHDANA

Byliśmy z Mamiszonem w sklepie sportowym. Wysypałem na ladę pełną torbę bilonu i poprosiłem o łyżworolki. Niezłą mieliśmy zabawę, patrząc na minę sprzedawcy, który odliczał stertę dziesięciogroszówek. Rolki są kapitalne. Dojechałem na nich do samego domu. Przewróciłem się osiemnaście razy. Mało mi zadek nie odpadł.

FERIE ZIMOWE

LIST PIERWSZY

JURGÓW
9 LUT 2014
★ AZ. ★

KOCHANI RODZICE!

Na zimowisku jest fajnie, mieszkamy u pana Pieroga i pani Pierogowej. Czasami trudno ich zrozumieć, bo mówią po góralsku. Śniegu tyle, że płotu spod niego nie widać. Suchą kiełbasę zjadłem od razu w pociągu, żeby się nie zepsuła. Szybko dogadałem się z nowymi chłopakami. Tylko jeden mi podpadł – taki wyszczekany w czerwonym golfie. W pociągu przez całą drogę opowiadał o swoim sprzęcie narciarskim, że niby najlepsze buty, najlepsze wiązania, nawet rękawiczki ma najlepsze, a w ogóle nie wziął nart, bo kto by tam jeździł na nartach, teraz jeździ się wyłącznie na desce, no i on właśnie ma deskę, najlepszą, rzecz jasna, na świecie. Jego ojciec ma najlepszy samochód i największego psa rottweilera, a jego mama jest najlepiej na świecie ubrana. Jak dojeżdżaliśmy do Częstochowy, to nikt go już nie lubił, a za Chabówką Fifa podjął się wystawić Wyszczekanego na korytarz, razem z jego tatą, mamą i rottweilerem. Tych, co jeżdżą na nartach, Wyszczekany nazywa „boazeria". Okej, sam się prosił. Nie będzie miał z nami lekko.

CAŁUJĘ – MIZIOŁEK

POCZTÓWKA

KOCHANI RODZICE!

Pozdrowienia z Zakopanego. Jestem tu z wycieczką. Ja i Fifa zrobiliśmy sobie zdjęcie z niedźwiedziem. Miał czkawkę (niedźwiedź, nie Fifa) i zalatywało od niego piwem. Chciałem kupić Potworom ciupagę, ale w sklepie z pamiątkami były tylko Batmany i Psy Pluto.

MAMISZON & PAPISZON

UL. BOŻEJ KRÓWKI 13 M. 8

0 0 – 9 5 1 WARSZAWA

BUZIA – MIZIOŁEK

LIST DRUGI

KOCHANI RODZICE!

Nauczyłem się skręcać na nartach w lewo. Wyciąg narciarski jest tuż za naszym domem. Co z tego, skoro prawie nikt nie umie jeździć. Zarazek jest postrachem całej oślej łączki – jeździ z zamkniętymi oczami i wydaje z siebie ostrzegawczy ryk. Kolega Fifa po jednym ze swoich słynnych upadków wyrył pupskiem bruzdę w śniegu jak prawdziwy ratrak. Balbina i Miśka jeżdżą na nartach z wypożyczalni – na lewej namalowany Kermit, na prawej Piggy. Na całym stoku słychać wrzaski instruktora: „Wysuń Kermita, podnieś Piggy!". Ale najwięcej uciechy mamy z Wyszczekanym. Co przypnie deski do butów, to zaraz tak plaśnie tyłkiem o glebę, że całe zimowisko zbiera ze stoku jego gogle, czapkę, rękawiczki... Dziwnie mi go nie żal.

Palczasty zakochał się w Balbinie, co łatwo poznać po tym, że ciągle wywraca ją w śnieg, ciągnie za koński ogon albo wrzuca jej muchę do zupy. Balbina też chyba kocha się w Palczastym, bo chichocze, chowa mu kijki do nart, a wczoraj wypiła mu cały kompot.

POZDROWIENIA DLA POTWORÓW – MIZIOŁEK

DZIENNIKA MIZIOŁKA CIĄG DALSZY

PONIEDZIAŁEK, 23.02

ROMANY, DAMIANA

Powrót do szkoły po feriach jest bardzo bolesny. Fifa i Piroman też są tego zdania. Żeby tak chociaż nagła fala mrozów albo epidemia grypy... A tu nic! Nawet kataru człowiek nie ma, jak na złość.

Pokazałem Beacie zdjęcie z niedźwiedziem, bardzo mi zazdrości. Ona spędziła ferie u rodziny w Kutnie i trzy razy dziennie, po spacerze, musiała odśnieżać pudla swojej cioci. Przechlapane!

WTOREK, 24.02
MACIEJA, BOGUSZA

Papiszon ma grypę. Papiszon prawie nigdy nie choruje, ale jak choruje, to gruntownie. Boli go głowa, gardło, uszy, szczypią go oczy i ma mokry nos. Pochłania całe garście witamin i śpi w czapce z pomponem. Mama nie pozwala nam się zbliżać do Papiszona, żebyśmy się nie zarazili, więc tylko celujemy z daleka w pompon papierowymi kulkami.

ŚRODA, 25.02
WIKTORA, CEZAREGO

Przegraliśmy mecz z klasą Pasibrzucha – siedemnaście do zera. Nic dziwnego – Pasibrzuch stał na bramce, a przed meczem obiecał wycisk każdemu, kto spróbuje strzelić mu gola. Piękny Lolo nie mógł zrozumieć, dlaczego akcja odbywa się tylko na jednej połowie boiska.

Czasami śni mi się, że jestem Batmanem i spuszczam Pasibrzuchowi straszne manto. To mój ulubiony sen.

CZWARTEK, 26.02
MIROSŁAWA, ALEKSANDRA

Papiszon czuje się już lepiej i po obiedzie naśladowaliśmy głosy zwierząt. Najlepiej wychodzi Papiszonowi foka. Mama jak zwykle popsuła zabawę, bo zagroziła, że jak nie przestaniemy wyć i chrząkać, to ona się wyprowadzi do babci Niny.

PIĄTEK, 27.02
GABRIELA, ANASTAZJI

Korzystając z tego, że Papiszon jest uziemiony w łóżku, Mały Potwór i Kaszydło wlazły do jego pokoju i okleiły cały komputer nalepkami ze Świnką Pepą. Najwięcej świnek nalepiły na ekranie monitora. Papiszon okropnie się zdenerwował i momentalnie ozdrowiał. Biegał po domu i ryczał: „Dajcie mi nervosolu, bo poduszę te Potwory!", a potem do wieczora zmywał ślady po nalepkach spirytusem salicylowym.

Tymczasem Potwory czujnie wpełzły pod łóżko i nie wylazły spod niego nawet na dobranockę.

SOBOTA, 28.02

LECHA, MAKAREGO

Rodzice Piromana odziedziczyli po jakiejś stuletniej cioci zabytkowe pianino. Żeby się instrument nie zmarnował, zapisali Piromana na lekcje muzyki. Słowo daję, od tego upiornego pitolenia wolałem już eksplozje za ścianą. Kiedy Piroman zaczyna ćwiczyć, Papiszon jęczy i zatyka sobie uszy plasteliną. Fakt, Rubinstein to z niego nie wyrośnie. Cisza zapada dopiero, gdy zaczyna się brazylijski serial, bo mama Piromana siada przed telewizorem i nikomu nie wolno hałasować.

NIEDZIELA, 1.03

ALBINA, ALDONY

Piroman nauczył się *Wlazł kotek na płotek* i *Szła dzieweczka do laseczka*. Od dzisiaj ćwiczy *Modlitwę dziewicy*. Muszę pamiętać, żeby jutro dokupić plasteliny.

PONIEDZIAŁEK, 2.03

HELENY, AGNIESZKI

Tydzień zaczął się pechowo – mama znalazła na pawlaczu sukienkę ze swojego balu maturalnego i postanowiła ją przymierzyć. Papiszon został wezwany do zapięcia suwaka na plecach. Ale suwak nie chciał się

zapiąć, bo mama zmieniła gabaryty przez te dwadzieścia
parę lat. Po tym doświadczeniu ograniczyła w naszej diecie
węglowodany. To znaczy koniec z pączkami, makaronem
i pizzą.

WTOREK, 3.03
MARYNY, KUNEGUNDY

Przyszła ciocia Wisia, która, jak wiadomo, bezustannie
się odchudza. Od progu zaczęła krzyczeć do mamy: „Rany
boskie, jak ty utyłaś!". Po czym rozwinęła temat: „No tak,
to takie typowe dla mężatek, nie dbają o siebie, bo im się
wydaje, że wykupiły talon na męża i że go sobie zakle-
pały na całe życie". Tu ciocia Wisia posłała Papiszonowi
swój uśmiech czterdziestoletniego podlotka, po czym dalej mówiła do mamy: „Jedz, jedz, nie krępuj się, będziesz
wyglądać jak Luciano Pavarotti". Tata zaczął się śmiać, ale
niedługo się pośmiał, bo mama go kopnęła pod stołem.
Ledwo ciocia Wisia wyszła – Mamiszon oświadczył,
że więcej tego podstępnego szkieletora do domu nie
wpuści. Na kolację była wielka micha sałaty.
Mamy ograniczać tłuszcze i cukry.

ŚRODA, 4.03
KAZIMIERZA, ŁUCJI

Rano Papiszon musiał mamę sturlać z łóżka,
tak ją połamało. Wczoraj przesadziła z podciąganiem
się na drążku. Na śniadanie było jajko na miękko,

połówka grapefruita i pieczywo chrupkie. Tata zaryzykował pytanie, dlaczego my także mamy jeść te paskudne tekturki, skoro z naszą wagą wszystko w porządku. Dowiedział się, że w ten sposób solidaryzujemy się z nią i że jej łatwiej schudnąć bez pokus leżących na stole. O rany! Mam nadzieję, że mama uwinie się z tym odchudzaniem raz-dwa.

Mały Mizioł nauczył się przystawiać krzesło do mebli i gramolić się na nie. Ściągnął ze stołu filiżankę z ulubionego serwisu mamy. A jak proponowałem zasieki z drutu kolczastego, to nikt mnie nie słuchał.

Mama pożyczyła ode mnie hantle i sprężyny.

CZWARTEK, 5.03
ADRIANA, WACŁAWA

Po obiedzie (wołowina, ryż, marchewka z wody) wymknęliśmy się z tatą na ciacha z kremem. Kaśka pożarła dwa pączki, eklerkę i spokojnie zabierała się do następnej. Papiszon był zmuszony do interwencji. Trzy ciastka i koniec! Wróciliśmy w samą porę, żeby podnieść mamę z głębokiego przysiadu. Przysiadła i tak już została, bo mięśnie odmówiły jej posłuszeństwa. To skutek przetrenowania.

PIĄTEK, 6.03
RÓŻY, WIKTORA

Dzisiaj czwarty dzień maminego odchudzania. Zważyła się.
Raz, potem drugi raz, potem wezwała całą rodzinę, żebyśmy komisyjnie odczytali wynik. Niestety, waga bez zmian.
Natomiast tata schudł kilogram, a ja 30 deka. Musimy coś
zrobić, bo jak się będziemy dalej solidaryzować z mamą
przy stole, to czeka nas śmierć głodowa.

W telewizji leciał archiwalny dokument o Luciano Pa-
varottim. No cóż... nieboszczyk nie był szczupły. Mamiszon
ostentacyjnie wyłączył telewizor.

SOBOTA, 7.03
PAWŁA, TOMASZA

Pół dnia spędziliśmy w Powsinie. Mama biegała
jak szalona, a ja z Potworami i Papiszonem rozwa-
liliśmy się spokojnie na ławkach i graliśmy w „słów-
ka". Mały Miziołek kiepsko nadaje się do tej gry, może
dlatego, że zna tylko trzy słowa: „mama", „tata", „am-am".

NIEDZIELA, 8.03
DZIEŃ KOBIET

Mamiszon, kompletnie wyczerpany po wczorajszym biegu,
leży w wannie z gorącą wodą, co ma ją postawić na nogi.
Idziemy na obiad do babci, tam przynajmniej zjemy coś
więcej niż główkę sałaty.

Tata ma plan, jak odwieść mamę od zamiaru odchudzenia całej rodziny. Dzisiaj już zaczął wcielać go w życie. Przy śniadaniu długo opowiadał o urodzie okrągłych kobiet, w przeciwieństwie do kościstych. Mama przyglądała mu się z niedowierzaniem, ale zjadła o jedną tekturkę więcej niż zwykle. Ja cały czas skwapliwie tacie przytakiwałem. Wspólnymi siłami być może rozmiękczymy silną wolę Mamiszona!

PONIEDZIAŁEK, 9.03
KATARZYNY, FRANCISZKI

Z okazji wczorajszego Dnia Kobiet w szkole odbył się uroczysty apel. Zarazek cały czas mamrotał za moimi plecami, że on chrzani uroczyste apele i cały ten pic związany z Dniem Kobiet. Dyro wygłosił mowę o wyższości kobiet nad mężczyznami, a potem wręczył kolejno każdej nauczycielce tulipana i ohydny wazonik z kotkiem. W naszej szkole jest osiemnaście nauczycielek i tylko jeden nauczyciel – pan od wuefu. Stał z brzegu i zupełnie go zatkało, kiedy dyro z rozpędu pocałował go w rękę i wręczył tulipana. Cała szkoła ryknęła śmiechem, a Mirota to nawet wylądował w gabinecie lekarskim, bo dostał kolki. Pani Barszcz zasłaniała się wazonikiem, żeby nie było widać, że też się śmieje.

W domu Mamiszon ogłosił bojkot Dnia Kobiet, że niby to jest święto szowinistyczne i seksistowskie. Nic nie rozumiem, ale jak nie, to nie!

WTOREK, 10.03

CYPRIANA, MAKAREGO

Jest marzec, a Mamiszon już ustala kolejność wiosennych porządków. Jak Baba-Jaga z bajki o Jasiu i Małgosi – przygląda mi się i ocenia, czy już jestem dość duży, żeby trzepać dywany. I na co mi te siostry? Zanim one będą się nadawały do wiosennych porządków, to ja się zatyram na śmierć! Papiszon użył całego swojego daru wymowy, żeby przekonać mamę o wyższości podłóg lakierowanych nad pastowanymi. Mamiszon obstaje przy pastowanych (bo to my pastujemy!). Piroman ma jeszcze gorzej – jego mama jest fanatyczką wiórkowania! Pomyśleć, że kiedyś wystarczyła ludziom podłoga z udeptanej gliny – i komu to przeszkadzało?

ŚRODA, 11.03
KONSTANTEGO, BENEDYKTA

Ustalono, że Wielkie Porządki odbędą się zaraz po sobotniej prywatce, którą urządzają starzy. Odbiło im – no bo jak to inaczej nazwać? Ustalili wstępnie listę gości, a teraz trwają pertraktacje. Mama wykreśliła z listy wszystkich kolegów taty, którzy mają ładne żony. Z kobiet została tylko pani Helena, no ale ona jest starsza niż piramidy egipskie... Wtedy Papiszon wykreślił pana Zbyszka, który jeszcze w liceum zalecał się do mamy. Na to mama, że wykluczone. Na to Papiszon, że w takim razie nie będzie prywatki. Na to mama, że zgoda na ładne żony, ale ciocia Wisia w żadnym wypadku. Na to tata, że zgoda na pana Zbyszka, ale i ciocia Wisia jak najbardziej. Na to mama, że po jej trupie, chyba że przyjdzie pan Tomek. Na to tata, że pan Tomek opowiada głupie dowcipy. Na to mama, że owszem, głupie, ale i tak lepsze od tych, które opowiadają „niektórzy". I tak do północy...

Mogę spać spokojnie, żadnej prywatki nie będzie!

CZWARTEK, 12.03
BERNARDA, GRZEGORZA

Widocznie nie znam moich starych, bo się dogadali. Wysłali mnie po konfetti i sztuczne ognie. Mama przez chwilę rozważała propozycję, żeby ze względu na parkiety wszystkie zaproszone panie wystąpiły w kapciach. Papiszon skwitował to wymownym puknięciem w czoło.

Obiad z puszki, bo mama wypożyczyła wideo z kursem tańca towarzyskiego i ćwiczy cza-czę. Kaśka korzysta z zamieszania i lakieruje sobie w łazience pazury (mamy lakierem, rzecz jasna).

PIĄTEK, 13.03
KRYSTYNY, BOŻENY

Mama opanowała cza-czę i wzięła się za rumbę. Tata odmówił współpracy. Twierdzi, że mama z uporem prowadzi w tańcu, a raz tak się zagalopowała, że po skończonym tangu stuknęła obcasami i odprowadziła Papiszona na miejsce. Pożyczyłem starym swoją muzę – wybrali same ramoty. Postanowiono, że zostanę na czas prywatki sprzedany do dziadków razem z Miziołami. Domyślam się, że to był pomysł Papiszona. Poprzednim razem miał mi za złe, że się bez szacunku wypowiadałem o jego kunszcie tanecznym. A przecież to on wpadł w donicę z fikusem, nie ja, i on wywalił panią Helenę na parkiecie podczas próby odtańczenia partii księcia z *Jeziora łabędziego*!

SOBOTA, 14.03

LEONA, MATYLDY

Mama tak długo miauczała, aż wymiauczała u taty stówę na „coś szykownego". Phi! Jeszcze jedna szmata więcej, jakby nie było dość. Co do mnie, to kiedy dorosnę, kupię sobie cztery ubrania na cztery pory roku, i starczy!

Mama wróciła z zakupów – „coś szykownego" okazało się parą niebieskich, błyszczących rękawiczek do łokcia. Na co mamie niebieskie rękawiczki? Na dodatek do łokcia!

Zostaliśmy spławieni do dziadków, zanim jeszcze pojawili się pierwsi goście.

NIEDZIELA, 15.03

KLEMENSA, LUDWIKI

Starzy kompletnie wyczerpani. Mama tańczyła do rana rumbę z panem Zbyszkiem i nie czuje nóg, tata dogorywa na kanapie z kompresem na głowie. Wszędzie wala się konfetti, a w kuchni stoi gigantyczna sterta brudnych naczyń. Jeśli ktoś

jest z tego balu naprawdę zadowolony, to tylko Mizioły – budują domek
z puszek po piwie.

PONIEDZIAŁEK, 16.03

IZABELI, HUBERTA

Rodzice pojechali na lotnisko po wuj-
ka Karola, który przylatuje z Australii.
W ubiegłą środę nadszedł telegram:

> PRZYLATUJĘ. PONIEDZIAŁEK.

> LOT Z SYDNEY. KAROL.

Starzy osłupieli. Imię Karol kojarzyło im się dotąd wyłącznie z pudlem sąsiadów. Mama pobiegła do dziadków na
błyskawiczne korepetycje z koligacji rodzinnych. I rzeczywiście! Babcia przypomniała sobie, że stryjeczna siostra
męża cioci Krysi wyemigrowała piętnaście lat temu do
Australii i tam wyszła za Australijczyka polskiego pocho-
dzenia. Dwa lata po ślubie odwiedzili Polskę. Babcia pa-
mięta wysokiego bruneta z baczkami – to musiał być wuj
Karol. No dobra! Ustalili, że mamy krewnego w Sydney,
ale Mamiszonowi humor się od tego wcale nie poprawił.
Papiszon został zmuszony do trzepania dywanu, a mnie
kazali ustalić, jaka jest narodowa potrawa Australijczy-
ków. Nic nie znalazłem, ale Piroman twierdzi, że brokuły
i królicze mięso.

189

WTOREK, 17.03
ZBIGNIEWA, GERTRUDY

Rodzice strasznie późno wrócili wczoraj z lotniska, bo szukali bruneta z baczkami, a wuj okazał się łysym jak kolano kowbojem bez baczków. Nosi buty z cholewką i kowbojską  kurtkę z frędzlami, a przy tym jest małomówny jak John Wayne. Język polski zna słabo, tak mniej więcej jak nasz Mały Mizioł – mama, tata, bam, am-am. Kiedy mama podała na obiad królika, wuj Karol wzdrygnął się z odrazą. Najwyraźniej jest jaroszem. Po obiedzie kopnąłem się po sałatę i żółty ser dla wuja. Jutro wypróbujemy z chłopakami bumerang, który dostałem w prezencie.

ŚRODA, 18.03
WALEREGO, RADOMIRA

Przed chwilą wyszła sąsiadka z parteru. Tata z trudem ją obłaskawił (bo ja się roztropnie zaryglowałem w łazience). Sąsiadce nie spodobało się, że nasz bumerang pofrunął lotem koszącym i rozbił szybę w okienku do jej piwnicy. Wcześniej był facet spod szóstki, ten, co ma syrenkę. Twierdził, że lakier z karoserii odprysnął od uderzenia bumerangu. Akurat! Ostatni kawałek lakieru odpadł z tej syrenki ubiegłej zimy!

W każdym razie te dwie wizyty wystarczyły, żeby odebrano mi bumerang i zawieszono tygodniówkę do odwołania.

CZWARTEK, 19.03
JÓZEFA, BOGDANA

Wuj Karol wszystkiemu się dziwi. Dziwi go metraż naszego mieszkania, smak wody w kranie, dziwi go samochód marki Maluch. Nie chce jeść kiszonej kapusty i stale nam przypomina, że należy oszczędzać wodę. Natknął się na Ogryzka w łazience i zwrócił mamie uwagę, że powinna tępić gryzonie. Ogryzek – dotknięty do żywego – obgryzł wujowi w nocy noski kowbojskich butów.

PIĄTEK, 20.03
KLAUDII, WINCENTEGO

Dzisiaj Pierwszy Dzień Wiosny, czyli, jak wolę go nazywać – Dzień Wagarowicza. Pani Barszcz nie chce przyjąć do wiadomości, że taki dzień istnieje w kalendarzu, ale nawet ona musiała się roześmiać, kiedy zobaczyła Fifę przebranego za hot doga. Miśka pomalowała całą twarz na niebiesko i była Smurfem,

a Kuczmierowski z Zarazkiem przebrali się za braci syjamskich i paradowali w jednej ogromnej marynarce. Ja przechadzałem się po szkole w kostiumie Różowej Pantery, który pożyczyłem od Mordki. Wyglądałem bardzo śmiesznie, choć na pewno nie tak śmiesznie, jak musiała w nim wyglądać pani Mordka.

Po dwóch lekcjach urwaliśmy się ze szkoły i poszliśmy do parku Agrykola na koncert rockowy. Tam jakiś gamoń nadepnął mi na ogon i wyrwał go razem z kawałkiem różowego pluszu na pupie. Zasłaniając ręką ubytki na tyłku, szukałem tego ogona w tłumie i w końcu znalazłem – zmięty i ubłocony, z oberwaną kitką.

SOBOTA, 21.03
LUBOMIRA, BENEDYKTA

Pokazałem wujowi panoramę Warszawy z Pałacu Kultury, metro i zoo. Wyglądał na znudzonego. Za to ożywił się, kiedy zobaczył, jak sąsiad rusza spod bloku swoją syrenką.

NIEDZIELA, 22.03
BOGUSŁAWA, KATARZYNY

Rodzina z Krościenka upomniała się
o wuja Karola. Na wieść, że przyleciał,
pojawili się w komplecie z trójką dzieci
i babcią. No i proszę – odkryłem kolej-
nych sześcioro krewnych, o których nie
miałem pojęcia (widzą mnie pierwszy raz
w życiu, a z uporem powtarzają: „Ależ ty
urosłeś!"). Załadowali lekko zdezoriento-
wanego wuja do nyski i odjechali.

   Wpadł Piroman, żeby obejrzeć z bliska prawdziwego Australijczyka. Ten to
ma refleks! Mama poczęstowała go kró-
likiem i brokułami. Mamy tego pełen
zamrażalnik.

PONIEDZIAŁEK, 23.03
FELIKSA, PELAGII

Przed chwilą przynieśli telegram:

> BĘDĘ PRZEJAZDEM W WARSZAWIE.

> WPADNĘ. WTOREK. STENIA.

Nikt, nawet babcia, nie zna żadnej Steni. Kimkolwiek jest,
będzie musiała polubić brokuły i pieczeń z królika.

WTOREK, 24.03
MARKA, GABRIELA

Potwory bawiły się w wiosennie porządki
i umyły wszystkie lustra w domu ma-
miną perfumą. Mamiszon ma
mi za złe, że im nie przeszko-
dziłem. A dlaczego miałbym przeszkadzać, kiedy raz w życiu okazały się dość pożyteczne? Lustra umyte? Umyte!
Natomiast Ogryzek, ponieważ nie toleruje intensywnych
zapachów, przeprowadził się do nory Papiszona.

Żadna Stenia nie przyjechała. Mamiszon podejrzewa,
że to był złośliwy żart rodziny z Krościenka.

ŚRODA, 25.03
MARIOLI, IRENEUSZA

Dom wygląda jak wyprzedaż używanej odzieży. Mama
opróżniła obie szafy, zrobiła na środku pokoju wielką stertę
ciuchów i grzebie w niej z desperacją.
„Nie mam się w co ubrać!" – skąd ja
znam ten tekst? Mizioły grzebią
razem z Mamiszonem. Mały
Potwór biega w maminym
plażowym biustonoszu, Kaśka wkłada szorty na głowę.
Papiszon mnie przestrzegł: „Nie
wchodź tam, baby idiotyzują!". Fakt,
idiotyzują!

CZWARTEK, 26.03
TEODORA, EMANUELI

Mama szyje sobie nową sukienkę. Kupiła fajowy materiał. Tata nazywa go „kontrowersyjnym". To znaczy, że lepszy byłby, zdaniem Papiszona, każdy inny, byle nie ten. Mamiszon się nie przejmuje, zawsze, jak twierdzi, marzyła, żeby mieć sukienkę w zielone słonie na różowym tle. Dziewczyny pomagają mamie – rozsypują szpilki i zbierają je magnesem. Mały Mizioł zjadł krawieckie mydełko i nawet się nie skrzywił.

Ogryzek nadal na wygnaniu, zapach „Chanel nr 5" okazał się niespodziewanie trwały.

PIĄTEK, 27.03
LIDII, ERNESTA

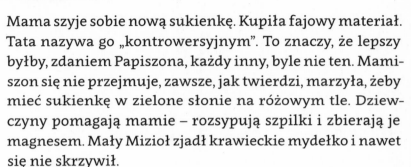

Dzisiaj musieliśmy z Papiszonem ugotować obiad, bo mama obszywa dekolt pliską skośną. Tata uczył mnie podrzucać naleśniki, tak jak to robią na włoskich filmach. Wszyscy chwalili nasze naleśniki, a najbardziej zadowolony był Ogryzek, bo dostał te, które spadły na podłogę, i te, które odlepiliśmy od sufitu.

Wieczorem mama przymierzała nową sukienkę. Tata powiedział, że

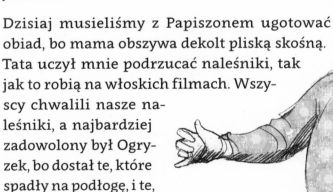

będzie w sam raz do pielenia marchwi na działce. Mamie nie spodobał się ten pomysł. Pocieszyłem ją, że nowa sukienka na pewno nie jest gorsza od tej, którą uszyła na sylwestra. Tamtą przeznaczono później na szmatki do kurzu. Mamiszon się zdenerwował, podobno my mężczyźni nie znamy się na modzie.

SOBOTA, 28.03

ADELI, JANA

Mama znalazła w pudle na pawlaczu swój zielnik zrobiony jeszcze w podstawówce. Oglądali go z Papiszonem, a potem zaczęli się wyzywać – ty tobołku przerosły!, ty wawrzuszko skalna!, ty chroszczu nagołodygowy! Już myśleliśmy, że trzeba wołać na pomoc panią Mordkę, kiedy mama wyjaśniła, że to są tylko nazwy roślin z zielnika.

Niezły był głodek murowy albo pieprzycznik wciórnostek. Czosnaczek uszkowaty też niczego sobie!

NIEDZIELA, 29.03

WIKTORA, EUSTACHEGO

Papiszon bardzo zły. Przekopał wszystkie szuflady i po dziesięć razy pytał nas, czy nie widzieliśmy jego zeznania podatkowego, nad którym biedził się przez dwa dni. Taki zielony druk z mnóstwem rubryk... Mama co chwila wychylała z kuchni głowę w papilotach i wołała: „A szukałeś w bieliźniarce?" albo: „Zobacz w łazience za pralką!". W końcu Papiszon spojrzał na mamę, na zielone papiloty na jej głowie, i zaczął krzyczeć i gonić Mamiszona wokół stołu, a my mieliśmy niezłą zabawę. Wreszcie Mamiszon rzucił w tatę naleśnikiem i zatrzasnął się w kuchni, a po chwili wywiesił białą flagę (ze ścierki) na znak rozejmu.

Tata obiecał, że nie oskalpuje Mamiszona, ale kazał jej przysiąc, że już nigdy nie zrobi papilotów z Bardzo Ważnych Papierów Papiszona.

PONIEDZIAŁEK, 30.03

ANIELI, DOBROMIRA

Mama wysyła wreszcie ostatnie życzenia noworoczne do rodziny i znajomych. Może już przywykli do otrzymywania kartek z bałwankiem czy choinką w środku wiosny. Teraz Mamiszon zabiera się do pisania kartek wielkanocnych. Założę się o wszystkie moje kapsle, że nie zdąży przed końcem lipca.

WTOREK, 31.03

BALBINY, GWIDONA

Cały wieczór graliśmy z Papiszonem w loteryjkę i scrabble. Oczywiście bez oglądania się na ortografię, bo te wszystkie „ż" i „ó" tylko psują zabawę. Bardzo fajnie nam się grało, dopóki nie przyszła mama i nie zajrzała nam przez ramię. Jak tylko zobaczyła nasze wyrazy „kóż", „strusz", „tfarz", „krufka" i „mjut" – to zabrała planszę do gry i schowała ją na szafę. Papiszon musiał się nasłuchać, że nie ma pojęcia o wychowywaniu dzieci. Phi! A Mamiszon to ma pojęcie?